KB103592

노선 밖의 이야기

김지수

박소연

이효진

지은결

천지영

목차

작가의 말

책을 한 권 만드는 것이 이렇게 많은 사람들의 시간과 노력이 드는 일이라는 것을 뼈저리게 느낀 순간들이었습니다. 처음부터 만만하게 본 것은 아니었지만, 예상했던 것보다도 더 고민하고 결정해야 하는 순간들이 많았습니다. 감히 세상의 모든 작가분들과 출판계에 종사하시는 모든 분들께 존경을 표합니다.

그리고 쉽지 않은 작업을 네 명의 작가분들과 함께 할 수 있었기에 무사히 책이 완성되었다고 생각합니다. 빡빡한 일정에 지쳤을 때에도 늘 존재만으로도 위로가 되고 힘이 되었던 그들에게 너무 감사합니다. 시간이 지나 이 책이 우리의 이 순간들을 떠올릴 수 있게 하는 추억 지도가 되었으면 하는 바람입니다.

개인적인 이야기와 감상을 수많은 독자분들에게 드러낸다는 것이 조금 부끄럽기도 하고 걱정이 되기도 하지만, 지금 가지고 있는 생각들을 솔직하게 담아낸 만큼, 그것 나름대로 충분한 의미가 있는 작업이었다고 생각합니다.

나아가 이 책이 독자분들의 잊혔던 추억을 되살리는 기회가 된다면, 정말 여한이 없을 것 같습니다. 기억 저편에 웅크리고 있던 추억들이 지금의 독자분들께 따스한 위로가 되었으면 합니다.

처음이라 서툰 부분이 많을 테지만, 미숙한 글들 속에 담겨 있는 이 마음만은 무사히 전달되길 간절히 바랍니다. 모두 행복하세요.

끝으로, 나의 사랑하는 가족들과 친구들, 특히 동생 박정은에게 감사를 전합니다.

박소연

지하철. 글을 쓰기 위해 던져진 주제, 지하철을 생각해 봤습니다. 저에게는 지금 '지하철' 하면 막막함이 떠오릅니다. 물론 지금이야 학교를 다니면서 출퇴근시간에 주로 타다 보니 그런 생각이 많이 들지만 지하철은 힘들지만 소중한 존재입니다. 차 대신 우리의 발이 되어주는 이동수단. 어릴 때는 지하철을 타면서 바라본 한강을 가장 좋아했었습니다. 노을이 비치면 일렁거리던 물결을 아직도 생생히 기억이 납니다. 이렇듯이 지하철을 이용하는 우리에겐 당연하고 늦게 가면 짜증나고 그럴 수 있지만 지하철을 타면서 우리가 느끼고 겪었던 소중한 추억들을 우리의 이야기를 읽으며 함께 떠올려봤으면 하는 바람으로 이 글을 바칩니다.

이효진

지하철에는 많은 사연들이 있습니다. 즐거운 일일수도, 힘든 일일수도 있습니다. 우리는 이 책에서 한 번쯤 생각해 보았던 사연들을 지하철을 매개로 풀어나가고자 합니다. 힘든 하루를 마치고 집에 가기 위해 타는 지하철처럼, 당신의 하루를 돌아보고 좋은 기억은 예쁘게 포장하고 나쁜 기억은 버리고 가셨으면 합니다. 그럼 저희가 한데 모아 가져가겠습니다. 편안한 여행 되세요.

김지수

지하철이라는 주제는 범위가 좁아 보이기도 하지만 동시에 넓은 범위의 이야기를 담을 수 있습니다. 많은 사람들이 이용하는 교통수단인 만큼 다양한 이야기를 담고 있는 지하철에서의 에피소드를 그리면서, 우리의 이야기를 읽는 사람들이 자신의 지하철 이야기를 떠올려 볼 수 있으면 좋겠다고 생각하고 글을 썼습니다. 이 책을 읽는 모든 사람들이 자신의 추억을 마주하는 시간이 되었으면 좋겠습니다.

천지영

장소엔 감정이 향수처럼 스며들어 있습니다. 그럼 어떤 장소가 감정을 불러일으키기에 좋을까 생각에 잠겼습니다.

10대들은 20대가 되길 바라고 시간이 지나면 20대로 돌아가길 바라는 것 같습니다. 20대는 가장 짧은 순간이지만 가장 역동적이고 가장 치열한 시기이기 때문입니다. 마치 오랜 시간 씨앗이 땅에서 추운 시간을 견디다가 첫 싹을 틔우는 순간처럼 말이죠.

결정적인 순간, 수많은 터닝 포인트들을 거쳐 가는 20대들이 가장 공감할 만한 공간은 지하철이지 않을까 싶습니다. 지하철 이용 비율에서도 가장 많은 비율을 차지하는 연령대가 20대라고 합니다.

지하철은 늘 새로운 언어 또는 기사거리를 만들어냅니다. 시민의 발, 파업논란, 단소아저씨, 로우킥남, 문신남, 쩍벌족, 여러 사건사고 등 늘 언론과 세상의 관심 속에 있습니다. 꿈도 희망도 피곤도 담고 달려가는 지하철은 어쩌면 20대를 많이 닮았습니다.

우리의 20대 이야기, 지하철 이야기가 독자들에게 작은 울림을 주길 바랍니다. 부디 모두가 목적지까지 안전히 잘 도착할 수 있길. 이번 역은...

지은결

"강남, 홍대입구, 잠실, 신촌… 핫플레이스가
가득한 2호선. 당신의 추억이 가득한 곳은

어느 역인가요?"

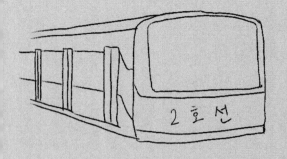

제1장

2호선

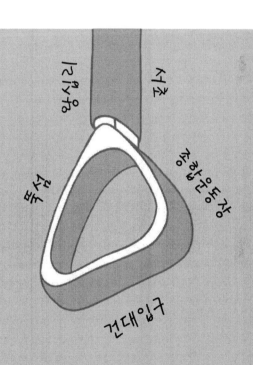

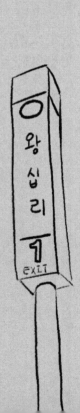

지하던전 탈출기

천지영

"너 그거 알아?"

"뭐?"

"서울 지하철은 60호선까지 있대"

"뭐??"

인생에 대중교통은 버스밖에 없었던 나에게 '60호선' 설은 허구의 이야기가 아니었다. 드라마에서나 보던 지하철역은 드라마보다 훨씬 복잡했고, 블로그에서 읽었던 환승역의 번잡함은 사진과 글만으로 다 담지 못한 것이었다. 그날 내가 본 왕십리역의 모습은 서울의 60호선설을 완전히 믿게 만드는, 그야말로 지하던전이었다.

살아서 돌아갈 수 있을까. '서울에서 김서방 찾기'라는 말은 왕십리역에서 나온 말이 틀림없다. 여기선 그 무엇도 찾을 수 없고 발견할 수도 없다. 저 많은 사람들은 다들 자기가 걷고 있는 곳이 어디인지는 알고 있는 걸까. 다들 어디로 가는지 알고 가는 걸까. 그것보다 지금 나는 어디에 있나. 너무 많은 생각들이 한꺼번에 들면서 머릿속이 복잡해졌다. 같이 온 친구의 표정을 보아하니 둘 다 답이 없다는 걸 알 수 있었다. 그날 우리는 그 던전에 갇혔다.

지하철이라고는 지렁이처럼 구불구불한 노선 하나밖에 없는 지역, 그마저도 노선 하나 스치지도 않는 동네에서 온 우리는 SRT를 타고 수서역에 도착해 수인분당선을 타고 왕십리까지 갔다. 사실 수서역에서 노란색 호선을 찾는 일은 크게 어렵지 않았다. 우리는 자화자찬하며 서울에서 초행길도 잘 찾는 야무진 어른이 되었다고 생각했다. 이제 2호선만 타면 되는데, 2호선 타고 딱 역 하나만 더 가면 되는데 그 2호선을 찾을 수가 없다.

환승을 버스로 배운 우리에게 환승통로는 상식 밖의 영역이었다. 버스를 환승할 때는 내릴 때 단말기에 카드를 찍고 내리니까 지하철 환승 역시 카드를 찍고 나와야 하는 줄 알았다. 개찰구를 통과하는 순간부터 시작된 대참사였다. 이미 우린 지하에 있는데, 지하에서 더 지하로 내려가는 에스컬레이터와 한 글자도 눈에 들어오지 않는 안내선들이 바닥에 깔려있었다. 길 찾기를 포기한 지경에 이르렀을 때에는 복잡한 것도 복잡한 거지만, 서울 한복판 지하에 이렇게 크게 땅굴을 파 놓으면 어떡하냐는 생각도 들었다.

"설마 서울에 있는 역 다 이런 건 아니겠지? 60호선까지 있는데 역이 다 이렇게 크면 서울은 이미 무너졌겠지?"

"뭔 소리야?"

친구는 나의 말을 무시하고 다시 2호선 찾기를 시작했다. 나는 그냥 눈에 보이는 아무 출구로 나가서 버스를 타자고 말했지만, 꼭 2호선으로 환승해서 타겠다는 친구를 말리지 못했다. 서울까지 가놓고 지하철 환승을 못해서 뚜벅이로 걸어 다녔다는 소리를 어떻게 하냐는 친구의 말에 나도 이렇게 끝낼 순 없겠다는 생각이 들어 2호선 찾기를 시작했다.

"오른쪽으로"

"아니지, 왼쪽이지"

"저기 2라고 적혀있는데?"

"응? 저긴 식당이야."

초록색이 2호선을 의미하는 줄도 몰랐던 우리는, 눈에 보이는 숫자 2를 따라 이곳저곳을 돌아다니며 2호선을 찾아 헤맸다. 그리고 마침내 우리가 도착한 곳은 2호선이 아닌 2번 출구였다.

"어떡하지… 뭐, 다시 들어가?"

"우리 그냥 걸어갈까?"

우리는 결국 2호선을 타지 못하고 다음 역으로 걸어갔다. 왕십리역에서 헤맨 시간보다 훨씬 빠르게 도착한 듯했다.

가고자 하는 정확한 목적지만 있다면 모든 길은 통할지도 모른다. 지도에서는 왕십리역에서 2호선으로 환승하는 것이 정답인 양 알려줬지만 사실 환승을 하지 않더라도 충분히 도착할 수 있었다. 물론 객관적으로 빠른 길은 존재하겠지만, 그 빠른 길이 모두에게 정답은 아닌 것처럼, 내가 갈 수 있는 길로 가는 것이 가장 빠를 때가 있다.

서울의 지하철은 스무 개 남짓이었지만 아는 길이 없던 나에게 왕십리역은 60개 노선이 만나는 곳이었다.

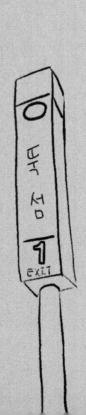

< 왕십리   **뚝섬**   건대입구 >

나만의 소품 숍

지은결

성수, 뚝섬을 걸어 다니다 보면 '힙하다, 자유분방하다.'라는 생각을 한다. 자신의 개성을 마음껏 드러내도 이상하지 않은 곳. 대학생들의 분위기. 작은 소품 숍, 큰 소품 숍, 잘 꾸며놓은 편집 숍, 다채로운 색의 팝업스토어. 분명 바로 옆에 있는 건물, 바로 맞은편에 있는 건물임에도 완전히 다른 세계에 온 것 같다.

어디선가 그런 말을 들었다. 한 명의 사람을 만나는 건 한 세계를 만나는 것이라는 말. 딱 그런 느낌이었다. 문 하나, 문 하나 열 때마다 어떤 세계가 있을지 기대가 되고 설렜다. 어떻게 꾸며놓았을지. 그 공간은 무엇을 말하고 있는지.

옛날에는 소품 숍을 예쁜 쓰레기 파는 곳이라고 생각했다. 하지만 자신을 표현하고 자신의 개성을 나타내는 게 중요해진 현시점에 소품 숍은 그저 쓸모없는 곳, 아이쇼핑하는 곳이 아니라 자신을 가게 안에 표현한 장소라는 생각이 든다.

많은 청년들이 다이어리 꾸미기, 방 꾸미기에 혈안이 되어 있다. 개인이 자신을 기록하고 꾸미고 알리고 싶은 욕구가 점점 높아지고 있기 때문이지 않을까. 이를 위해 많은 청년들은 자신의 취향 저격인 소품 숍을 찾아다니고 꾸밀 것들을 사는 것 같다.

그렇게 만들어진 다양한 감성들. 따뜻한 감성, 차가운 감성, 아기자기한 감성, 귀여운 감성, 적적한 감성, 신비로운 감성, 어지러운 감성, 심플하고 깔끔한 감성. 시크하고 도도한 감성, 어두운 감성, 우아하고 고매한 감성 등.

그 어떤 것도 소외당하지 않는다. 모두가 기꺼이 문을 열고 들어와서 꾸며져 있는 감성을 보고 감탄을 하거나 좋아하거나 신기해하고 인정해준다. 여기서 작은 희망을 봤다. 서로가 서로의 세계를 받아들일 수 있는 포용력을.

분명 어렸을 때는 개성 있는 아이라고 생각했는데 나는 점점 평범해지고 있다. 평범해지길 바랐는지도 모른다. 내 특색을 드러내는 것을 두려워하고 남의 시선에 어떻게 비칠지 몰라 숨기려고 해왔다. 지금껏 듣고 배운 말로는, 평범해지게 산다는 건 앞으로의 미래가 보장되어 있다는 것이고 남들과 다르게 살겠다는 건 앞으로의 미래가 확실치 않다는 것과 같다. 그 알 수 없는 확률에 도전하기엔 내가 확률도, 수학도 별로 안 좋아한다.

그래도 개성이 넘쳐나며 활기를 잃지 않는 뚝섬역을 생각하며 조금의 용기를 얻는다. 언젠가 열게 될 나만의 소품 숍을 기다려 주길.

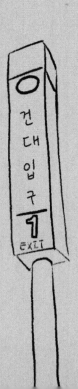

< 뚝섬   건대입구   종합운동장 >

이제는 안녕

이효진

　오늘은 참 운도 없다. 아르바이트를 가는 길에 지나가던 건물에서 물벼락을 맞질 않나 일하던 카페에서 대낮부터 술에 취하신 진상 할아버지를 만나지를 않나 거기다 집으로 가기 위해 역 앞에서 신호를 기다리던 중 이 거지꼴로 너를 만나질 않나 미칠 지경이다. 이럴 줄 알았으면 화장이라도 하고 오는 건데 아니면 못 알아보게 모자라도 쓰고 올 걸 온갖 생각이 들면서 오랜만에 보는 너를 바보같이 멍만 때리며 바라보다 너와 눈이 마주쳐버렸다. 마음 같아서는 모르는 사람인 척 도망가고 싶었지만 두 발이 떨어지지 않았다. 더 미치겠는 것은 눈이 마주치자 손인사를 건네는 너를 보자 심장이 미친 듯이 뛴다는 것이다. 마치 너를 보자마자 첫눈에 반해버렸던 그때의 나처럼 아무것도 하지 못하고 멍하니 서있기만 할 뿐이다.

　가끔가다 혹시나 너를 마주칠까 혼자 시뮬레이션을 몇 번씩 돌려봤었다. 상상으로는 그때마다 쿨하게 인사하면서 널 보내줬었는데... 우리가 헤어진 지 일 년이나 지났는데도 나는 아직 정리를 하지 못했나 보다. 가만히 서 있던 나에게 너는 다가온다. 멋쩍게 다가온 너는 아무 말도 못 하는 나에게 인사를 건넨다.

"오랜만이네. 잘 지냈어?"

"응 잘 지냈지. 너도 잘 지냈어?"

형식적인 인사를 나눈 우리는 잠깐 시간 있냐고 물어보는 너의 말에 장소를 옮긴다. 가는 내내 한마디도 나누지 못했다. 정적을 깨려 말이라도 건네고 싶었지만 떠오르는 말이 없었다. 그저 지금 만나는 사람은 있는지 내가 그리웠던 적은 없었는지 어떤 말도 지금의 너에겐 할 수 없었다. 우리가 사귈 적 너를 만나면 내가 장난스레 자주 하던 질문이 있었다. 만나자마자 '나 안 보고 싶었어?' 라고 물으면 너는 '조금'이라며 부끄러워하면서 눈도 못 마주치며 대답했었다. 그때 생각에 피식 웃음이 났다.

우리는 참 잘 맞았다. 좋아하는 음식도 좋아하는 영화 장르도 취미 생활까지 잘 맞아서 싸울 일도 없었다. 너는 내가 하고 싶은 것, 하자고 하는 것도 잘 따라와 줬었다. 내가 투정부리면 너는 항상 다정하게 날 달래줬다. 그런 네가 너무 좋았고 평생 내 옆에 있어줄 것만 같았다. 장난스레 웃으며 하던 얘기였지만 너와 나는 미래까지 함께 그렸었다. 하지만 우리가 만난 지 3년이 지나면서 각자의 일이 더 먼저가 되었고 서로에게 소홀해져갔다. 그래도 너는 나를 기다려 줬었는데 그런 모습에 질린 나는 너에게 모진 말로 이별을 고했다.

그때는 편했었다. 점점 의무 같아지는 데이트도 너와의 연락도 안 그래도 바쁜 와중에 너라는 빈자리는 나에게 여유가 되었다. 가끔가다 잘못했다며 붙잡는 너의 전화가 종종 오곤 했다. 너의 잘못도 아니었는데 그때도 너는 나에게 져주었다. 하지만 나의 거절에 너의 전화도 점점 줄어들면서 우리의 관계도 완전히 끝이 났다. 바보같이 너의 연락이 줄어들면서 후회만 커져갔다. 하지만 괜한 자존심을 부리며 더 좋은 사람을 만날 수 있을 거라고 오기를 부렸다.

지금 우리가 앉아있는 카페도 우리가 만나는 동안 자주 오던 장소였다. 그때와 변함없는 인테리어와 너와 자주 들었던 노래가 흘러나온다. 여긴 변한 게 없는데 너와 나는 아니었다. 너는 여전히 다정하게 내가 자주 먹던 녹차라테를 마시겠냐고 묻는다. 너를 만나면서 이런 다정함을 참 좋아했는데. 이젠 더 이상 나에게만 해주는 다정함이 아니라는 사실에 슬퍼졌다. 음료를 들고 오는 너를 보고 곧 표정을 숨겼다. 여전히 따뜻하게 웃으며 너는 말을 건넨다. 건네는 말엔 어색함이 묻어 있지만 서로의 안부를 물었다. 누군가 만나는 사람이 있는지 궁금은 했지만 금방 알 수 있게 되었다.

"반지... 꼈네. 만나는 사람 생겼어?"

속이 울렁거렸지만 내색하지 않으려 괜히 미소만 지었다. 너는 살며시 웃으며 만난 지 얼마 안 됐다며 좋은 사람이라고 대답했다. 나와 만날 때는 손에 뭐 착용하는 게 불편하다며 선물로 준 시계도 잘 착용하지 않았던 너였는데... 괜스레 볼품없어 보이는 내 손만 탁자 아래로 숨겼다. 우리가 이별한 지 1년이 넘었는데 나는 아직도 널 생각하며 보내는데 너는 멀쩡히 다른 사람을 만나 잘 지낸다는 생각에 눈앞에 있는 네가 미웠다. 그래도 별 수 있나. 이제 너와 나는 아무 사이도 아닌걸. 이제는 친구처럼 대하는 너에게 미안해져서 집에 급한 일이 있던 것을 잊고 있었다며 서둘러 자리를 정리했다. 카페 앞에서 헤어지면서 우리는 머뭇거리다 잘 지내라는 인사를 나누고 뒤돌아섰다. 몇 발자국 못 가 뒤돌아보았지만 미련 없어 보이는 너의 뒷모습에 눈물이 차올랐다. 뿌예지는 시야를 닦으며 서둘러 지하철에 몸을 실었다.

얼른 집에 가서 누워있고 싶다. 모든 게 진이 빠졌다. 자리에 앉아 앞만 바라보는데 한강이 보인다. 너와 데이트를 하고 나면 항상 나를 집에 바래다주겠다며 같이 가던 길이었다. 지하철에서 바라보는 한강이 아름답다고 좋아하던 너라서 우리는 지하철을 탈 때면 거의 앉지도 않고 문 앞 창가에 서서 한강을 자주 바라봤었다. 또 울컥하는 마음을 억지로 눌러버렸다. 그래도 한편으로는 후련했다. 언젠가 재회할 수도 있을 거라는 기대를 모른 척하며 살았었다. 너와 다시 만나고 싶어도 자존심에 붙잡는 너를 계속 밀어냈던 나였기에 너를 붙잡지도 못하고 우연에 기댔었다. 하지만 내 자존심에 놓쳐버렸던 너를 이젠 놓아주기로 하였다.

< 건대입구   종합운동장   서초 >

"우리 콘서트 보러 갈래?,
덕질의 순기능"

박소연

"덕질을 아십니까? 모르셨다면 이 좋은 거 이제라도 같이 하시죠."

'덕질', 특정 분야에 대한 열정과 관심을 뜻하는 신조어. 흔히들 중2병에 걸린다고 하는 그 시기, 나는 덕질이라는 것을 처음 시작했다. 아이돌을 좋아하며 그들의 노래를 듣고 무대를 보고 콘서트, 팬미팅 등을 다니며, 나의 사춘기를 버텨낼 수 있었다. 그렇게 2023년이 된 지금까지도 열심히 누군가를 좋아하고 동경하며, 내 삶의 원동력으로 그들을 향한 나의 마음을 가져왔다.

누군가는 그런 곳 말고 다른 곳에 돈을 쓰라고 이야기하지만, 나는 지금까지 다닌 여러 콘서트, 팬미팅, 뮤지컬 공연 등을 보고 난 후 늘 '돈이 아깝지 않았다.'라는 생각을 했다. 10만 원이 훌쩍 넘는 잔인한 가격이지만, 그럼에도 늘 공연은 감동적이었고 소중한 시간이었다. 그중에서도 기억에 남는 콘서트가 있다.

종합운동장역, 이제는 듣기만 해도 '콘서트'라는 단어가 자연스럽게 떠오르는 곳이다. 2022년 가을, 잠실종합운동장 올림픽주경기장에서 봤던 아이유의 콘서트는 아직도 생생한 기억으로 남아있다.

아이유의 콘서트를 처음 간 것은 아니었다. 하지만, 야외에서 하는 콘서트에 가는 것은 처음이었기에 설레는 마음을 가지고 종합운동장역으로 출발했다. 큰 규모의 공연장이었던 만큼, 역에서부터 수많은 팬을 만날 수 있었다. 설레하는 그들의 모습이 나의 심장까지 뛰게 만들었다.

그렇게 해가 질 무렵 시작된 공연은, 시작과 동시에 나를 울컥하게 만들었다. 사실 나 말고도 많은 사람들이 울컥했다고 후기를 전했다. 코로나19로 인해 오랜 시간 동안 콘서트가 열리지 못해 아쉬움을 늘 가진 채 기다렸기에 더욱 이 순간이 뭉클하고 감동적이었다. 무반주로 흘러나오는 아이유의 목소리를 들으며 중간중간 함성을 지르는 수많은 팬들의 마음이 어떤 마음인지 서로 잘 알고 있었기에 더욱 마음이 일렁였다.

본격적으로 공연이 시작되고 팬들은 한마음 한뜻으로 환호하며 그동안의 한을 풀었다. 공연은 화려했다. 아이유의 완벽한 라이브는 물론이고, 웅장한 드론 쇼와 열기구, 폭죽 등 눈을 뗄 수 없는 구성으로 관객들에게 다양한 경험을 선사했다.

공연을 보고 나니, 다시 한번 콘서트란 무엇인가에 대해 생각해 보게 되었다. 단순히 내가 좋아하는 가수의 라이브를 듣는 것에서 그치는 것이 아니라, 수많은 팬이 모여 함께 추억을 만들어가는 큰 규모의 축제라는 생각이 들었다. 그 많은 사람들이 모두 한마음으로 이 순간을 만들어가는 것은 결코 우리가 쉽게 할 수 있는 경험이 아니라고 느껴졌다.

개인적으로, 누군가를 동경하며 좋아하는 일은 쉽지 않은 일이라고 생각한다. 우리는 우리가 가지지 못한 것을 가지거나 뛰어난 사람을 보게 되었을 때 질투하기 쉽고, 가끔은 배가 아프기도 하다. 그리고 그러한 마음에서 그치기도 쉽다. 하지만 누군가는 그러한 멋진 모습을 보며 그를 동경하고 좋아하며 진심으로 응원하기도 한다. 나는 이것이 정말 스스로를 좋은 방향으로 나아가게 한다고 생각한다.

그동안 덕질에는 여러 순기능이 있다는 것을 느꼈다. 삶의 활력소가 되기도 하고, 심장 뛰는 설레는 순간을 보다 자주 느낄 수도 있었다. 하지만, 내가 가장 크게 느낀 순기능은 나 스스로를 더욱 좋은 방향으로 나아가게 한다는 점이었다. 순수하게 누군가를 좋아하고 동경하며, 나 또한 그 사람의 장점을 닮고 싶어 하고 그렇게 되기 위해 조금이라도 노력하게 되는 것이었다.

어렸을 때 위인전을 읽고 이렇게 위대한 사람이 되어야겠다고 생각하는 것과, 우리가 성공한 사람들을 보며 나도 저렇게 되고 싶다고 느끼는 것, 크게 다르지 않은 것이다. 심지어 심장 뛰게 하는 순간들을 자주 선물하기까지 하는데 이렇게 좋은 일을 왜 마다하겠는가.

종합운동장역을 떠올리면 자연스럽게 콘서트장에 있던 그 순간으로 돌아가고 그 벅찬 마음을 느낄 수 있게 되는 것은 너무나 로맨틱한 일이다. 이처럼 두고두고 곱씹어 보며 그 행복한 순간을 오래오래 느낄 수 있기 때문에 콘서트는 일회성이 아니라는 생각이 들며 그 비싼 가격이 용서가 된다.

사실, 덕질이라는 것이 생소한 이들에게는 지금까지 내가 한 이야기가 크게 와닿지 않을 수도 있을 것 같다. 그럼에도 내가 직접 덕질이라는 것을 하면서 느낀 그 소중한 경험들과 마음을 함께 나누고 싶었다. 그렇게 독자들이 한 번쯤 나도 콘서트를 도전해 보고 싶다는 생각이 들게끔 만들고 싶은 욕심이 있었다. "영화 보러 갈래? 뮤지컬 보러 갈래?"처럼 꼭 팬이 아니더라도 "콘서트 보러 갈래?"라는 말이 자연스럽게 나올 수 있는 문화가 형성되면 좋겠다는 사심 가득한 글이었다고 봐주면 될 것 같다.

순간을 함께했던 수많은 사람들과 오래 간직할 이 소중한 감정을 종합운동장역을 지나칠 때마다 떠올리며 피식 웃게 되는, 지금 이 덕질하는 삶이 좋다. 함께 울고 웃으며 보낸 그 몇 시간이 앞으로 내 삶의 여러 순간에 함께할 생각에 또 한 번 설렌다. 순수하게 동경하고 응원하는 이 사랑을 여러분도 함께하지 않으실는지요? 행복은 우리 가까이에서 찾을 수 있으니까요!

우면산 터널에는 슬픈 전설이 있지

김지수

    인천에 사는 사람들에게는 전설로 내려오는 이야기가 있다. 인천에서 인천 가도 두 시간, 인천에도 서울 가도 두 시간. 이 말에 나는 백 번 공감한다. 인천에 수인분당선이 뚫리기 전, 내가 사는 인천 논현에서 서울 중심지로 갈 수 있는 방법은 딱 한 가지가 있었다. 광역버스 m6410을 타고 가는 것. 그마저 경기도 시흥을 돌아 돌아간다. 거주인구 10만 명이 넘는 동네에서 서울 가는 버스 노선이 하나인 것은 꽤 큰 고민거리였다. 40분이라는 배차간격에, 퇴근시간 출근시간이 콩나물 버스에 그나마 놓치는 일이 빈번했고 서초 교대 강남 양재로 이어지는 노선은 서울로 나가는 인천 인들을 더욱 피곤하게 만들었다.

    수인분당선이 개통되었지만 있으나 마나이다. 3학년 1학기부터 나는 본가에서 통학을 했다. 수인 분당선을 타고 학교까지 가는 여정은 다음과 같다. 집에서 나와 버스를 타고 인천 논현역으로 가 39개나 되는 역들을 거친 후 가천대역에 도착하면 약 3시간이 걸린다. 학교를 가기 위해서는 왕복 6시간을 왔다 갔다 해야만 했다. 도저히 견딜 수 없었던 나는, 집 앞이 출발 정류장인 광역버스 m6410을 타고 통학을 했다. 집으로 돌아올 때는 장담할 수 없지만 적어도 갈 때는 앉아서 갈 수 있었기 때문이다. 광역버스 m6410은 집 앞에서 출발해 시흥을 거쳐 4호선 선바위역을 들려 2호선 서초역, 교대역 강남역을 찍고 다시 돌아오는 노선이다. 학교를 가기 위해서는 2호선을 타야 했기에 보통 나는 서초역에서 내렸다. 출발부터 서초역까지 가는 시간은 50분부터 2시간까지 시간을 예상하기 어렵다. 그 이유는 선바위역과 서초역 사이에 있는 '우면산터널' 때문이다. 우면산 터널에 진입하기 전까지 약속 시간을 맞출 수 있을거란 생각은 하지 않는 것이 좋다. 길이가 꽤 되는 이 터널에서 막히기 시작하면 한 시간은 기본이다. 물론 막히지 않는다면 5분밖에 걸리지 않는다. 거리는 같지만 걸리는 시간이 다른 것은 우리의 인생과 같다.

우리는 성취하고자 하는, 나아가고자 하는 방향에 목적지를 설정하고 살아간다. 그 목적지는 부자가 되는 것처럼 구체적일 수도 있고, 재미나 보람 같은 추상적인 그 무엇일 수도 있다. 목적 없이 살아가는 사람은 없다. 무엇이 되고, 하고 싶다는 미래에 대한 명확한 목적이 아니라 당장 오늘 저녁 맛있는 것을 먹는 것도 목적이라 할 수 있으니까 말이다. 내 또래 학생에게는 대학 입학이라는 목적이, 대학생에게는 취업이라는 목적이 있는 것과 같이 피해 가기 힘든 중요한 목적들도 있다. 이렇게 사람들은 인생의 목적지를 설정하여 삶의 원동력으로 삼아 앞으로 나아간다.

인생의 목표는 같은 목표를 공유하더라도 도착하는 시간은 모두 다르다. 누구는 현역으로 대학을 가지만 누구는 재수를 하고, 이른 나이에 결혼을 하는 사람이 있지만 늦게 하는 사람도 있다. 도착하는 시간이 다른 것에는 여러 가지 이유가 있다. 능력이 모자라 오래 걸리거나 아직은 그 목표를 이루고 싶지 않았거나, 정말 원했던 일이거나 등 개개인에 따라 도착 시간은 천차만별이다. 우리가 살아가는 사회에서 도착의 순서는 민감하게 받아들여진다. 누가 정한 것인지는 모르겠지만 지하철 시간표처럼 사회가 정해 놓은 도착 시간이 있고 그 시간 안에 들어오지 못한 사람들은 사회적 패배자로 낙인찍힌다. 이 낙인은 사람들을 초조하게 만들고 목적지로 가는 다양한 길에 하나의 고속도로를 놓아 버린다. 그렇게 고속도로를 타고 도착한 목적지는 제시간에 도착은 했지만 성취감 보다 허무함만 남을 것이다.

그렇기에 자신의 목적지는 자신이 운전해서 나아가자. 직진도 좋지만 때론 어린이 보호 구역에선 천천히 가기도 하고, 아니다 싶으면 유턴도 하고 나아가는 길은 자신이 선택하자. 세상은 앞만 보고 달려가기에는 아름다운 것이 많다. 때론 터널처럼 어두운 길을 맞이하더라도 조급해지 말고 잠시 쉬면서 길가의 꽃과 푸른 하늘을 바라보자. 긴 터널의 끝엔 길가의 꽃과 푸른 하늘이 우리를 맞이해줄 것이다. 우리의 목적지는 선바위역에서 서초역으로 가는 사이에 있는 우면산 터널처럼, 막힐 때도 있고 막히지 않을 때도 있다. 그저 도착하는 시간이 다를 뿐 목적지에 도착한다는 것은 똑같다. 그러니 남을 신경 쓰지도, 초조해하지 말고 내가 할 일을 묵묵히 하자. 이루고자 하는 의지와 열망만 있으면 걸리는 시간은 의미가 없다.

"불안함을 채우기 위해 지하철을 탄다"

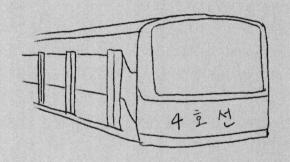

제2장

4호선

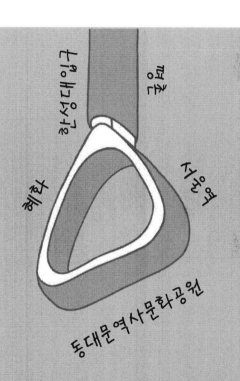

한성대입구

혜화

충무로

서울역

동대문역사문화공원

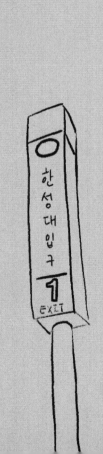

< 제1장   한성대입구   혜화 >

이런 기분이구나

천지영

   3시 20분. 기숙사 문을 닫고 나와서 빠르게 걷는다. 이미 사람들로 가득 찬 빨간색 교내 버스를 뒤로하고 부지런히 역까지 걸어간다. 역에 도착해서 1-3번 칸에 서서 5분 정도 여유롭게 기다리니 왕십리행 열차가 들어온다. 목요일 3시 40분을 지나는 시간이지만, 무슨 일인지 열차 안에는 사람들이 많다. 운이 좋게도 열차에 탑승하니 커다란 캐리어를 가지고 앉아있는 사람이 보인다. 마스크 속으로 살짝 미소를 머금은 채 캐리어 앞에 섰다. 역시 직감은 틀리지 않았다. 다행히 예상대로 수서역에서 내려준 덕분에, 왕십리까지 앉아서 갈 수 있게 되었다. 자리에 앉아 나름 시간을 쪼개 써보겠다고 도서관에서 빌려온 책을 펴보지만 어느 순간 나도 모르게 눈이 감긴다. 왕십리역은 수인분당선의 종점이기 때문에 자더라도 내릴 역을 놓칠 걱정은 없다. 다만, 환승해야 하는 2호선을 놓치는 경우는 많다.

   일부러 1-3번을 찾아서 탔는데, 졸다가 늦게 내려 그만 다른 칸에서 내린 사람들보다 뒤처졌다. 지나가는 사람들에게

영혼을 빼앗기지 않도록 정신줄을 붙잡으며 휩쓸려 걷다 보면, 2호선이 들어오는 음악이 들린다. 가장 가까운 아무 칸으로 타서 원래 타려던 칸을 향해 걷는다. 가끔 이렇게 사람이 많이 없는 열차에서 칸을 이동하다 보면 왠지 모르게 런웨이 하는 기분이 든다. '어디서나 당당하게 걷기'를 생각하며 2-3번에서 자리를 잡고 동대문역사문화공원역에서 내릴 준비를 한다. 이번엔 반드시 제일 먼저 환승 출구로 가겠노라 다짐하며 출입문 앞에 섰다. 스크린도어가 열리고 빠르게 4호선으로 걸었다.

동대문역을 지나고 혜화역을 지나면 한성대입구역이다. 이제 다 왔다. 나가서 10분만 더 걸으면...

"띠링 띠링"

불안한 전화 벨소리가 울린다.

"여보세요."

"쌤 죄송한데요."

"에이... 설마."

"오늘 제가 좀 늦게 들어가서 수업 듣기 힘들 것 같아요..."

이제 다시 왔던 길로 돌아가야 한다. 지금 다시 타면 환승을 찍을 수 있다. 간혹 이렇게 지하철 투어를 시켜주는 이 아이는 내가 처음으로 국어를 가르친 학생이다. 첫날에는 왜 이렇게까지 국어를 공부해야 하냐며 싫은 티를 냈지만, 시간이 지날수록 점점 욕심을 내는 모습에 나름 뿌듯하기도 했다. 하지만 이렇게 수업 20분 전에 취소 연락이 오는 날이면 언제 뿌듯함을 느꼈는지 모르게 한숨이 나온다.

나는 가끔 그 아이를 통해 고등학생 때의 나를 본다. 이젠 옛날이야기가 되어버린 그때를 생각하면 아련하기도 하고 슬퍼지기도 한다. 지금은 이렇게 쉬운 문법이 그땐 왜 그렇게 이해가 안 됐는지, 또 그땐 쉽게 공부했던 문학이 지금은 왜 이렇게 어려운지 모르겠다.

하루는 내 설명을 들으며 귀를 만지작거리고 머리를 긁는다. 아무래도 집중이 잘 안되는 모양이었다. 시작한 지 10분 됐는데...

"이 글이 어떤 거에 대해 말하고 있는 것 같아?"

"어..."

"첫 문단에 중심 소재가 나오니까 한번 찾아볼래?"

"아… 음…"

문장을 갖다 읽어줘도 못 찾을 기세다. 어떻게 하면 좋을까? 과제를 할 때보다 머리가 더 아픈 것 같다. 처음으로 누군가를 가르치다 보니 책임감이 느껴졌다. 내가 얼마나 알려주는지가 그 아이가 얼마나 알게 되는지를 좌우하기 때문이다. 마음 같아선 책의 모든 내용을 전부 가르쳐 주고 싶었다. 이해하기 쉽게 설명하는 방법도 생각해 봤다. 그런데 이 친구를 가르치면서 오히려 내가 알게 된 것이 있다. 그것은 바로, 누군가를 가르치는 일은 지식을 설명하는 것보다, 내 말을 듣게 하는 게 더 어려운 일이라는 사실이다.

학생 때 왜 선생님들이 중간중간 딴소리를 섞어가며 수업을 하시는지 알 것도 같았다. 아주 잠깐이라도 집중을 시키고 싶었던 것이다. 내가 고등학생이었을 때를 생각해 보았다. 기억을 더듬어 몇 년 전 광주의 한 고등학교, 그 교실을 떠올렸다. 생각해 보니 집중이 안 될 때는 앞에서 무슨 소리를 하더라도 들리지 않았던 것 같다. 어떻게 하면 이 친구에게 내 말이 들릴까. 더 많이 고민해 봐야겠다.

"쌤 근데 저는 한국어를 할 줄 아는데 국어공부를 왜 해야 할까요"

가끔씩 그 애가 던지는 뜬금없는 질문들은 뇌를 말랑말랑하게 한다. 하지만 입에서 나오는 대답은 말랑해진 머릿속과는 다르게 딱딱하다.

"그러게. 넌 한국어를 할 줄 아는데 왜 국어 시험은 100점이 안 나올까... 문제도 한글이고 정답도 한글인데... 심지어 나도 한국어로 알려주는데..."

"근데 시험을 보기 위해서 국어를 공부해야 하는 건 아니잖아요."

내가 10대 때 했던 생각 그대로를 질문으로 받으니 기분이 이상하다. 사실 이 나이가 되면 내가 학생 때 공부했던 것들의 의미를 알게 될 줄 알았는데, 여전히 모르겠다. 사람과 사람 사이를 이어주는 언어라는 도구, 그 언어를 잘 사용할 줄 알아야 사회와 소통할 수 있다는 말, 언어를 통해 세계를 이해할 수 있다는 말. 문학 작품을 읽으면서 '나'를 알아갈 수 있다는 말. 떠오르는 생각 중 어떤 것도 말해줄 수 없었다. 문제집에 적힌 글씨로 공부하는 아이에게는 전부 뜬구름 잡는 소리일 테니까. 내가 이런 말을 하게 될 줄은 몰랐는데, 이런 질문은 이런 기분이었구나.

"쓸데없는 소리 그만하고 공부하자."

"청춘은 바로 지금!
대학생의 로망, 연극동아리"

박소연

"다들 대학교, 대학생에 대한 로망이 있으셨나요? 저는 딱 하나 있었습니다. 연극동아리에 들어가는 거요."

누구나 로망 하나쯤은 가지고 있을 것이다. 그중에서도 대학교나 대학생에 대한 로망은 고등학교, 어쩌면 그보다 훨씬 전부터 가지고 있었을 수 있다. CC에 대한 로망일 수도 있고, 축제에 대한 로망일 수도 있다.

나의 경우에는, 크게 욕심을 가지지 않고 살아왔다. 특히 공부, 입시에 대해 큰 욕심이 없는 편이라 대학도 내 성적에 맞는 대로 가면 된다는 생각이었다. 그래서 좋은 대학교에 대한 열망은 딱히 없었지만, 그런 나에게 있어 유일한 목표는 대학교에 입학해 연극동아리에 들어가는 것이었다. 그래서 실제로 대학교 입학 후 가장 먼저 한 일이 연극동아리 가입이었다.

그렇게 2020년부터 2023년이 된 지금까지도 연극동아리 부원으로 활동하고 있다. 사실 나는 내향적인 사람이라 동아리 사람들과 자주 어울리지는 않고 있지만, 그럼에도 대학교에 들어와 가장 잘한 일이 연극동아리에 가입한 것이라고 생각한다.

혜화는 사실 연극을 보러 종종 가던 곳이었다. 그런 곳에서 내가 연극을 보는 것이 아니라, 연극을 하게 되다니! 정말 신기하고도 인상적인 경험이었다. 사실 대학교 연극동아리에 들어가 연극을 하게 됐을 때 학교 내에서 조그맣게 할 것이라고 생각했었다. 그래서 혜화에 공연장을 대여해 공연을 올린다고 했을 때 설레기도 하고 두렵기도 했다.

혜화를 떠올리면, 정말 연극을 전문적으로 하는 배우들이 공연하는 공간이라는 생각이 들어, 그런 곳에서 내가 공연을 한다는 것이 믿기지 않았다. 그래서 매번 연습을 위해 혜화역으로 갈 때면, 어색하게 느껴지기도 하고 긴장이 되기도 했다. 한편으로는 내가 다른 전문적인 예술가분들과 같은 곳에서 공연을 올린다는 사실이 뿌듯하기도 하고, 그들과 한 바운더리 안에 있는 것만 같다는 생각을 하며 기분이 좋기도 했다.

사실 혜화역은 우리 집에서 꽤 먼 거리에 있어서 중간에 환승도 해야 하고 마냥 쉽게 갈 수 있는 길은 아니다. 그래서 밤늦게 연습을 마치고 집으로 돌아오는 길이 막막하게 느껴지는 날도 많았다. 안 그래도 체력이 약한 나인데, 그 험난한 이동 시간을 버텨 낼 만큼 정말 좋아서 하는 일이었다는 생각이 지금에 와서 더욱 많이 든다.

그리고 연극동아리에서 활동하며 여러 연극에 참여할 때면 많은 선후배, 동료분들과 시간과 노력을 들여 하나의 작품을 만들어간다는 사실이 행복하고 그 시간이 너무 소중하게 느껴졌다. 여러 사람이 모여 하나의 목표를 향해 달려가는 것이 이렇게 아름다운 일이라는 것을 몸소 느낄 수 있는 시간이었다. '이게 청춘이지'라는 말에 너무나도 어울리는 순간들이었다. 나중에, 찬란했던 추억의 한 페이지로 지금 이 순간들이 떠오를 것 같다.

물론, 매 순간 행복하기만 했던 것은 아니었다. 여러 어려움도 있었고, 때로는 다툼도 있어, 마냥 순탄하지만은 않았다. 그럼에도 그러한 순간들조차 앞으로 살아가면서 쉽게 할 수 없는 경험이라는 생각에 이 순간들이 더욱 소중하게 느껴졌다.

흔히 자신보다 어린 사람들을 보며 참 좋을 때라고 이야기한다. 그리고 그러한 이야기를 듣는 사람들은 각자의 힘듦을 생각하며 '이게 어떻게 좋은 때야.'라고 생각하기도 한다. 나 또한 "참 좋을 때다. 예쁠 때다."라는 이야기를 들으며, 그들이 올챙이 때의 기억을 떠올리지 못한다고 생각했다. 그래서 나는 나중에 최대한 다른 사람들에게 이러한 이야기는 하지 않아야겠다고 다짐하곤 했다. 그런데 지금 생각해 보면, 그 힘든 순간들조차 그리워질 수 있고 추억이 될 수 있고 미래의 나에게 큰 의미가 있는 시간이 될 수도 있기 때문에 지금 그 시간을 소중하게 잘 썼으면 하는 마음에서 하는 말이 아니었을까 하는 생각이 든다.

지금 힘든 시간을 보내고 있더라도 되돌아보면 예뻤던 기억이 될 수 있다는 생각을 하며, 이 힘듦을 조금이라도 가볍게 생각하려고 하고 슬기롭게 이겨낼 수 있도록 노력해야겠다는 다짐을 해본다.

우리의 모든 순간은 추억이 될 것이고, 이 추억은 미래의 우리에게 자양분이 되어줄 것이다. 그러니 지금 이 순간 우리가 챙길 수 있는 사소한 행복들을 최대한 끄집어내고, 힘듦은 최대한 가볍게 생각하며, 미래의 나를 기대하고 싶다.

따분한 이야기였을 수도 있지만, 흔히들 청춘이라고 말하는 20대를 보내면서 이 기억들을 소중하게 잘 간직하여 앞으로도 오래오래 청춘을 살고 싶은 바람을 담은 것이라고 생각해 준다면 고마울 것 같다. 기왕 사는 거 최대한 덜 힘들고 더 자주 행복하면 좋으니까!

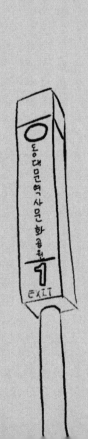

< 혜화 　　동대문역사문화공원역　　서울역 >

졸전

지은결

　졸전? 다들 졸업전시회라고 생각하겠지. 하지만 나에게 졸전이란 말은 졸도하기 직전이란 말로 들린다. 대학교 4학년이 되어 여러 활동들과 졸업 준비를 하다 보니 4학년이라 바빠서 만나 주지 못한다는 친구의 말, 졸업전시회 준비하고 있어서 바쁘다는 말을 이해하게 됐다. 역시 사람은 그 상황이 되어보고 나서야 이해하나 보다.

　아직 졸업 전의 바쁨을 경험 못한 옛날, 나는 친구들에게 졸업전시회에 초대를 많이 받아 동대문에 자주 갔다. 처음 간 졸업전시회는 생각보다 작지만 화려했다. 그리고 생각보다 많은 사람들이 찾아와서 응원해 주는 모습, 축하해 주는 모습을 보고 있으니 아무것도 준비해 가지 않은 것에 미안했다. 친구는 와준 것만으로도 고맙다고 했다. 그 말을 듣곤 바로 주변에 나가서 친구의 선물을 샀다. 사실 선물은 살 당시만 해도 살짝 아까웠다.

　선물을 전해주고 난 뒤 전시회를 둘러보는데 어떻게 이걸 만들었지 생각이 드는 경이로운 작품들이 많았다. 친구가 그 전시회를 준비하면서 얼마나 밤을 새웠는지, 얼마나 코피를 흘렸는지, 머리를 쥐어뜯었는지 이야기를 들었기에 그 화려함 뒤에 있는 처절함도 보였다.

그러자 나는 갑자기 답답하고 초조하고 불안한 마음이 들었다. 화려함을 바라지만 그 처절한 노력을 하기에 아직 준비가 안 되어있는 내 모습이 너무 보잘것없어 보이고 뒤처질까 불안했다. 첫 전시회의 느낌은 아까움, 멋있음, 불안함으로 요약할 수 있을 것 같다. 돌아온 뒤 나는 졸업에 대해 더 오래 고민해 보게 되었고 지금 내가 뭘 해야 하는 게 좋을지 넘쳐나는 생각 속에 있었다.

이 얘기를 들은 누군가 나에게 말했다. 불안함은 생각보다 좋을 수도 있다고. 불안함은 너를 발전하게 만들어줄 거라고. 생각해 보니 정말 그때 느낀 불안함이 없었다면 정말 아무 생각 없이 지금 모습에서 변하지 않았겠구나 싶다.

그 이후로 나는 불안함을 채우기 위해 졸전에 간다. 선물도 기꺼이 함께. 그 처절함을 보는 게 좋다. 졸도하기 직전까지 할 수 있는 모든 것을 꺼내는 일이 많이 있는 일은 아니니까.

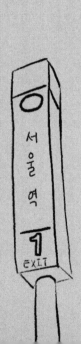

서울역

서울역 대합실, 노란 리본 하나

김지수

내 꿈은 기자다. 이 세상 사람들에게 그들이 살아가는 곳에서 일어나는 일들을 알려주는 역할을 하는, 그런 존재가 되고 싶다. 어릴 때부터, 누군가를 위해 일하는 것이 참 보람 있는 일이라고 느꼈다. 내가 무언가를 하면 고마워하고 행복해하는 모습을 보는 것이 좋았다. 내가 직업을 가지게 된다면 남들에게 도움을 주고 즐거움을 줄 수 있는 그런 직업을 가지길 원했다. 그러다 2014년 내 인생에 있어 손에 꼽는 충격적인 사건이 발생하게 된다.

2014년 4월 16일, 나는 중학교 2학년 경주로 수학여행을 가기 위해 서울역에서 KTX를 탔다. 수학여행, 심지어 열차여행이라니 출발 일주일 전부터 나뿐만 아니라 반 친구들 모두 들떠 있었다. 아침 일찍 일어나 전날 챙겨 놓은 캐리어를 들고 서울역까지 가는 부모님의 차 안에서 나는 싱글벙글 웃고 있었고 부모님도 나의 기분을 아시는지 덩달아 즐거워하셨다. 그렇게 나와 친구들은 아침 9시, 서울역에서 경주로 가는 ktx를 탔다.

출발한 지 한 시간이 조금 지났을 때, 담임선생님께서 바쁘게 움직이기 시작했다. 반장이었던 나에게 반 친구들 인원을 다시 세어 보라 시켰고, 다른 반도 마찬가지였다. 어리둥절하며 친구들을 한 명 한 명 확인했고 선생님께 이상이 없음을 알려드렸다. 무슨 일이 일어났는지 알기에는 시간이 많이 걸리지 않았다. 곧 어머니에게서 전화가 왔다. 잘 가고 있냐는 말에 다급함과 걱정이 느껴졌다. 몸조심하고 또 조심해서 다녀오라는 어머니의 말에 심상치 않음을 느꼈다. 어머니와 전화를 마치고 네이버 뉴스에 들어간 순간 어머니의 걱정스러운 전화의 이유를 알게 되었다. 네이버 실시간 검색어 1위, 세월호 침몰. 어린 나이에도 심각한 일임은 직감적으로 알 수 있었다. 인천에서 출발해 제주도로 가는 여객선이 진도 앞바다에서 침몰하고 있다고 했다. 그 배에는 수학여행을 가는 단원고등학교 2학년 학생들도 있다고 했다. 수학여행 기차 안은 혹시 모르는, 걱정스러운 마음에 친구들의 부모님들의 전화소리로 가득했고 담임 선생님도 여기저기에서 오는 전화 통화에 쉴 새가 없으셨다.

내가 접할 수 있는 방송 매체에서는 긴급 보도로 침몰하는 세월호를 계속 보여줬다. 긴급 속보가 뜰 때마다 기차 안의 우리, 또 아마 전 국민이 긴장했고 배에 탔던 사람들이 무사하기를 한마음 한뜻으로 빌었다. 경주에 도착하고 얼마 후 다행히 배가 기울기 전 승객들은 모두 구조되었고 사상자는 없다는 속보가 나왔다. 모두들 안도했다. 하지만 또 얼마 지나지 않아 그 속보는 오보임이 밝혀졌다. 분 단위로 사망자의 숫자는 올라가기 시작했다. 구조자의 수는 그대로였고, 사망자만 늘어났다. 이런 상황 속에서 수학여행은 진행되었다. 배를 타고 호수를 도는 일정이 취소되었고 하루에 몇 번이고 부모님께 안부전화가 왔다. 2014년 4월 16일에 시작되었던 나의 중학교 2학년 수학여행은 2박 3일 수학여행은 어디를 갔는지, 무슨 일이 있었는지 기억이 하나도 나지 않는다. 집에 돌아온 후 우는 모습을 본 적 없던 아버지의 부어 있는 눈가와 울면서 나를 맞아 주시던 어머니의 모습밖에 기억이 나지 않는다. 나 역시 며칠을 울었다. 그냥 나도 모르게 눈물이 났다.

당시 내가 살던 곳은 인천이었고 안산 단원구는 가까운 위치에 있었기 때문에 추모식에 다녀왔다. 울지 않는 사람들은 없었다. 수학여행 가기 전 설레는 그 마음을 누구보다 잘 알았기에 더 슬펐다. 어쩌면 내가 그런 상황에 처했을 수도 있었다는 생각을 하니 무서웠다. 한동안 나는 세월호 후유증에서 빠져나오지 못했다. 나뿐만 아니라 다른 사람들도 마찬가지였을 것이다.

시간이 흘러 어느 정도 진정이 됐을 때 문득 생각이 났다. 모두 다 구출됐다며. 인명 피해는 없다며. 어디서 그런 정보를 기자들이 가져왔는지 의문이 들고 화가 나기 시작했다. 정확하고 국민의 알 권리를 위해 일해야 하는 기자들이, 그들의 기사를 간절하게 기다리고 있는 사람들에게 거짓말을 했다. 또 사건 이면에 숨겨진 어두운 이야기까지 정확하게 밝혀지

지 않았다. 누가 그들을 죽게 만들었는가 누구의 잘못인가? 이럴 수는 없는 거다. 다시는 이런 일이 일어서는 안 된다. 그래서 나는 기자가 되기로 마음먹었다. 세상 사람들이 알아야 할 정보들은 정확하게 알 수 있게, 정의로운 세상을 만드는, 세상의 관점을 바꾸는 기자가 되겠다고.

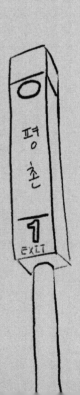

오늘도 힘내

이효진

'띠리리리링 띠리리리링'

어김없이 울리는 알람에 무거운 몸을 일으킨다. 눈도 다 못
뜬 채 어기적거리며 화장실로 향한다. 주말도 예외 없이 매일
이 똑같다. 새벽에 일어나 몇 시간 못 자 피곤한 몸을 일으켜
꾸밀 시간조차 아까워하며 대충 로션만 바르고 간단하게 아
침밥을 챙겨 먹고 학원으로 간다.

나는 재수생이다. 작년의 나는 불안했지만 당연히 대학교는
갈 수 있을 줄 알았다. 재수라는 이야기는 나와는 먼 이야기
같았다. 하지만 합격 발표일에 합격해서 신나하는 친구들을
뒤로하고 혼자 불합격이라는 글자를 본 후 화장실에 숨어 눈
물을 삼켰다.

불합격이라는 단어에 나는 자존감이 낮아졌다. 친구들의 위
로도 기만 같았다. 앞에서는 티를 낼 수 없었지만 고등학교
졸업식이 끝난 후 나는 동굴로 숨어버렸다. 점차 친구들과의

약속도 피하고 재수학원만 다니며 하루하루를 보냈다. 주말도 쉴 틈 없이 학원만 다녔고 처량해 보이는 내 모습에 너무 힘들었다. 그럴 때마다 언젠간 나도 저들 사이에 껴서 친구들처럼 내가 원하던 대학 생활을 하는 상상을 하며 버텼다.

사람들이 많이 없는 새벽길은 너무 싫었다. 잠이 많았던 나였기에 처음엔 새벽에 일어나는 게 너무나도 힘들었다. 하지만 다들 잘 나아가는 것만 같은데 그 사이에 뒤처진 내가 너무 싫어 이를 악물고 버텼다. 한 손엔 단어장을 들고 역으로 향했다. 새벽하늘이 점점 어두워지는 것을 보니 시험날이 다가오는 게 느껴졌다. 앞으로 남은 시간은 일주일. 한편으로는 빨리 시험을 끝내버리고 싶지만 다른 한편으론 아직 오지 않았으면 했다. 학원을 다닐 때만 해도 합격은 당연할 것이라 생각했는데, 이제는 합격이 보장되지 않는 이 시험에 그동안 내가 보냈던 시간과, 초라한 내 모습을 생각하니 가슴이 먹먹해졌다.

이른 새벽 아침이지만 학원으로 향하는 이 지하철은 항상 만원이었다. 회사로 향하는 표정 없는 직장인들 사이에 몸을 싣고 한 손에 들린 단어장만 바라보았다. 머리에 잘만 들어오던 단어였는데 점차 시험날이 다가오자 단어가 눈에 들어오지 않았다. 심란한 마음에 어두운 지하만 보여주는 창만 바라본다. 마치 아직 빛도 못 보는 자신 같았다. 괜히 숙연해지는 마음에 공부에 방해될까 바꿨던 폴더폰만 열었다 닫았다 했다. 그래도 이 적막하고 답답한 지하철은 나에게 동질감을 주었다. SNS 속 화려하고 잘 놀러다니는 사람들과 달리 목적은 다르지만 뭔가 나와 같은 사람들인 것만 같았다.

　나는 재수 학원에 와서는 괜한 마음이 들까 친구도 사귀지 않았다. 그래서 수업이 끝나면 밥도 혼자 먹고 밤에 집에 갈 때도 항상 혼자였다. 어떤 날은 집에서 말고는 한마디도 하지 못한 날도 있었다. 이러다가 말하는 것도 잊어버릴까 가끔 걱정도 했었다. 그래도 공부하러 온 것이기도 하고 학원에서 혼자 지내는 아이들도 많기 때문에 이런 내가 슬프지는 않았다. 가끔은 혼자 밥 먹는게 외로워 친구를 사귈까 했지만 그런 마음도 사치 같았다. 그럴 때마다 대학가면 할 수 있을 거라며 마음을 정리했다. 학원에 들어가기 전 제출할 핸드폰을 괜히 확인한다. 평소 같으면 광고 문자나 와 있을텐데 오늘은 문자가 두 통이나 와있다. 하나는 오늘도 공부를 열심히 하고 힘내라며 응원 문자를 남겨둔 엄마였고 다른 하나는 괜한 열등감에 연락을 끊고 있었던 친구였다. 내가 재수준비를 한다고 알고 있던 친구는 내가 공부때문에 연락을 잘 못 할 것이라고 한 뒤 연락을 마다했었다. 그런데 그 친구한테 문자가 왔다.

　'곧 시험이겠다! 지금까지 공부하느라 고생 많았어ㅠ 그동안 보고 싶었는데 너 방해될까 연락도 못했네 이제 일주일 뒤면 끝나니까 오랜만에 얼굴 좀 보자! 너무 보고 싶다 ㅜㅜ 조금만 더 힘내고 넌 잘 할 거야　내 친구 화이팅!

　문자를 보자마자, 나만 빼고 잘된 것 같아 심술부렸던 내가 너무 못나 보이고 친구에게 너무 고마웠다. 친구의 문자에 울컥했지만 얼른 마음을 추스르고 앞으로 일주일만 더 버티자는 마음을 먹었다. 얼른 시험이 끝나 공부하는 딸 때문에 고생하던 부모님과 이젠 편하게 저녁도 먹고 친구들과 만나서 술도 마셔보고 싶다. 시험이 끝나면 친구에게 먼저 연락하기로 다짐하며 오늘도 책을 편다.

"정중지와(井中之蛙)

우물 안 개구리라는 뜻으로, 식견이 좁음을

비유하는 말"

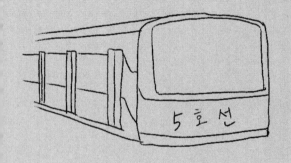

5호선

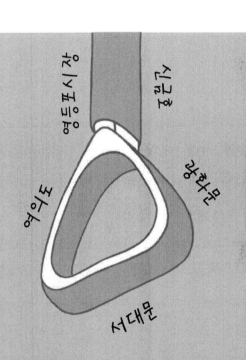

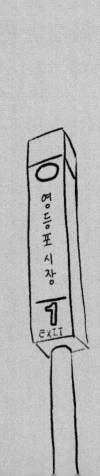

< 제2장   **영등포시장**   여의도 >

"출근 대신 여행,
이런 일탈 한 번쯤은
생각해 봤잖아?"

박소연

"출근하는 길은 늘 괴롭고, 일탈은 더 어렵고."

휴학하고 아르바이트를 하며 가장 많이 한 생각은 '출근하기 싫다.'와 '퇴근하고 싶다.'였다. 사실 누구나 다 같은 마음일 테다. 일하는 것보다 노는 게 좋은 것은 인지상정이 아닌가. 그래서 아르바이트를 그만둔 지금도 나의 옛 아르바이트 장소였던 영등포시장역을 떠올릴 때면, 출근하기 싫어하던 그 마음과 기억도 자연스럽게 떠오른다.

물론 아르바이트를 하던 그 상황들과 그곳에서 만난 수많은 사람들, 그 속에서 있었던 여러 에피소드도 같이 떠오르곤 한다. 그럼에도 출근하기 싫어하던 그 마음이 가장 먼저 떠오르는 것은 어쩔 수가 없다. 그만큼 자주, 오래 생각한 것이라 그런 것 같다.

다들 이런 상상 한 번쯤은 해보지 않았을까? 출근하러 가던 길에 출근이 너무 하기 싫어서 갑자기 여행을 떠나버리는 말도 안 되는 상상 말이다. 나는 흔히들 하는 MBTI 검사에서 늘 N(감각형)이 나오는 상상력이 풍부한 사람이라, 평소에 늘 꼬리에 꼬리를 무는 생각을 많이 하기도 하고 말도 안 되는 상상을 마구 떠올리기도 한다. 그래서 아르바이트 출근길에, 출근하기 싫은 마음과 이러한 상상력이 합쳐져 허무맹랑한 일탈을 꿈꾸는 일이 많았다.

영등포시장역에 대한 나의 연상법은 이렇다. 영등포시장역을 떠올리면, 출근하기 싫어하는 내 모습이 떠오른다. 그리고 일탈을 꿈꾸며 매번 아련한 눈빛으로 김포공항역 방향을 바라보던 내 모습이 떠오르고, 결국 그 일탈을 해낸 내 모습까지 연달아 떠오른다.

아르바이트를 하러 영등포시장역 방향으로 지하철을 타러 갈 때면, 다른 한쪽에는 김포공항역 방향이라는 표시가 아주 크게 있었다. 그래서 더욱 김포공항역이 눈에 띄고 눈앞에 아른아른할 수밖에 없었다. 이대로 영등포시장역으로 가지 않고 김포공항역으로 가고 싶은 무시무시한 욕구가 매번 차올랐다. 그나마 실제 행동으로 옮길 만큼 간이 크지는 않아서 다행이었다.

그러다, 늘 억누르던 욕구를 조금이나마 해소할 수 있는 기회가 생겼다. 아르바이트가 끝나고 바로 여행을 가기 위해 30분 일찍 조퇴 후 김포공항으로 향하게 된 것이다. 그때의 쾌감은 잊을 수가 없다. 비록 땡땡이는 아니었지만, 조퇴 후 김포공항으로 떠난다는 사실만으로도 충분히 흥분됐다. 늘 상상만 하던 일이었는데 그것이 현실로 옮겨지는 게 꿈만 같았고 이렇게 조금이나마 비슷하게 실천해 보는 것이 큰 일탈처럼 느껴졌다.

물론 어떻게 보면 일탈이라고 부르기도 어려운 소소한 에피소드일지도 모르겠다. 하지만, 이처럼 나에게 아주 소소한 일일지라도 스스로 일탈이라 부르고 행하며, 일상 속에서 참아왔던 스트레스를 풀 기회를 스스로 만든다면 훨씬 더 재미있는 삶이 되지 않을까? 그렇게 고단한 일상을 버텨낼 힘을 스스로 만들어내는 여러 시도들은 참 소중한 것 같다.

한편으로, 지금 나는 이렇게 아르바이트도 가기 싫어서 여러 방법들을 고안해 내려고 하는데, 나중에 정말 직장을 가지게 된다면 그때는 얼마나 더 가기 싫어질지 벌써 걱정이 된다. 그래서 지금 어서 그 고된 일상을 버텨낼 좋은 취미나 방법들을 많이 찾아내려고 노력해야겠다는 생각이 든다. 이렇게 30분 일찍 조퇴하고 여행을 떠나는 것도 하나의 방법이 될 수 있다고 여기면서 말이다.

이 글을 읽고 있을 독자들에게도 물어보고 싶다. 당신의 소소한 일탈 리스트에는 어떤 것들이 있는지, 취미는 어떠한 것을 가지고 있는지, 고된 일상을 살아가게 하는 힘을 어디에서 얻고 있는지 말이다. 그렇게 얻은 소중하면서도 소소한 팁들을 통해 더욱 슬기롭게 진짜 어른이 되어가고 싶은 게 이 글 속에 남긴 나의 시커먼 속내이다.

아주 작고 소소한 일탈일지라도 오래오래 추억되는 소중한 기억, 나아가 삶의 원동력이 될 그것들. 앞으로 하게 될 나의 소소한 일탈들이 기대가 된다. 그리고 그 일탈들로 채워나갈 나의 삶은 전혀 소소하지 않을 것 같다. 다들 소소한 일탈로 슬기롭게 일상을 꾸려나가고 계시나요? 그럼, 팁 좀 주세요!

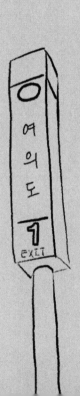

퇴근길

이효진

하루 종일 울리는 사무실 전화를 피해 겨우 퇴근을 할 수 있었다. 하아... 절로 나오는 한숨에 집으로 향했다. 집으로 가는 길은 왕복 네 시간. 모두가 가고 싶어 하는 대기업에 들어 갔지만 아직 취업한 지 5개월 밖에 되지 않아 차를 사기도 회사 근처에 집을 구하기도 어려웠다. 그래서 본가에서 지내며 출퇴근을 하고 있지만 사람 많은 지옥철에서 왕복 네 시간은 너무 힘든 일이었다. 어쩌지도 못하며 지옥의 출퇴근을 버티고 있었다.

처음에 이 회사를 입사했을 때만 해도 왕복 네 시간 출퇴근쯤이야 버틸 수 있을 줄 알았다. 그때는 출퇴근은 물론 야근이든 뭐든 일을 할 수만 있다면 뭐든 해낼 수 있을 것 같았다. 취준 기간만 2년을 지내면서 회사에 취직한다면야 모든 것이 성공한 것만 같았다. 2년이라는 시간은 내게 곤욕이었다. 취업 준비라는 명목하에 백수로 지내면서 시간만 허송세월 보내는 것 같았다. 물론 공부하면서 보낸 시간이기에 놀기만

한 건 아니지만 점차 은퇴할 나이에 가까워지는 부모님을 바라보며 얼른 취업을 하여 부모님의 노후 걱정을 덜게 해드려야 하는데 짐만 되는 것 같아 항상 마음이 불편했다. 그래도 나름 열심히 준비했다고 생각했는데 지원하는 족족 떨어지는 불합격 통보에 진절머리가 났다. 그렇게 2년이라는 시간을 지나 원하던 합격을 받았다. 합격 사실을 알았을 때 세상을 다 가진 것만 같았다. 부모님께 알려드렸을 때 좋아하시던 모습은 살아온 인생 중 가장 뿌듯한 순간이기도 했다. 합격 후 엄마와 함께 정장을 맞추고 한껏 부푼 기대를 안고 신입사원 교육을 받던 2주 동안은 어딘가에 소속되어 있다는 사실에 상사한테 깨져도 행복했다.

하지만 직장을 다니는 것은 취업 준비와 다른 면에서 고통스러웠다. 일에 적응하는 것도 회사 사람들에 적응하는 것도 쉬운 일이 아니었다. 게다가 신입이라고 야근이 예외는 아니었다. 금융권 회사이기에 남들보다 빨리 출근하지만 퇴근은 더 늦었다. 바쁜 와중에도 간간이 있는 회식에 내 삶이란 찾아볼 수 없었다. 어떤 날은 서서 지하철을 타고 출근하던 중 나도 모르게 쓰러질 뻔하였다. 그 이후로 영양제도 챙겨 먹고 있지만 약으로 해결하기엔 턱없이 부족했다. 원하던 출근을 하고 있지만 약과 각성제, 피로회복제와 항상 함께였다.

이렇게 반복되는 일상에 그토록 바라던 회사였지만 퇴사까지 고려했다. 안 그래도 먼 거리라 집에 도착하면 밤이었고 남들이 말하는 워라밸은 찾을 수 없었다. 주말은 평일에 다 못 끝낸 일을 처리하기 바빴고 그나마 쉴 시간이 생긴다면 자느라 아무것도 하지 못했다. 평일도, 주말도 쉴 시간이 없었다. 회사 선배의 말로는 일이 년이면 적응이 될 거라며 운동이라고 하면서 체력을 기르라고 한다. 하지만 운동도 체력이 필요하다. 마음 같아선 모든 걸 포기하고 항상 안주머니에 품고 있던 사직서를 날리고 싶었다. 하지만 당장 그만두면 뭘 해야 할까. 무한 굴레이다. 해결책도 없는 고민에 머리만 아팠다.

그래도 늦은 밤에 타는 지하철은 출근길 지하철과는 달리 자리가 남는다. 그나마 편하게 앉아서 갈 수 있어 몸은 편했다. 지하철에서 바라보는 야경은 첫 출근 때와 다르게 점차 무심해졌다. 예전엔 밤에도 다들 바삐 움직이는 것 같아 야근하던 나와 동질감이 느껴졌지만 이젠 한낱 불빛이었다.

핸드폰을 보는 것도 이젠 재미가 없어 멍하니 앉아있다 주위를 둘러보았다. 다들 나처럼 야근에 지친 몸을 이끌고 집으로 향하는 것 같았다. 그러던 중 노트만 뚫어져라 보는 한 학생이 보였다. 이어폰을 낀 채 노트만 보느라 다른 곳엔 관심조차 없었다. 그 학생에게서 취업 준비를 하던 내가 보였다. 부모님의 손을 덜어드리려 생활비는 내가 벌겠다며 아르바이트를 하면서 공부를 했다. 이동하는 시간도 아까워 지하철을 탈 때면 책만 보았다. 처음에는 열심히 하는 것 같아 보이는 내 모습에 취해 이 정도 노력이면 합격도 충분할 것 같다는 생각을 했다. 하지만 그것은 오만이었다. 점점 보이지 않는 합격 통보로 거만을 떨지 않고 책만 보게 되었다.

마음고생으로 힘들어하던 그때의 내가 생각이 난다. 아르바이트가 끝나고 지하철을 타러 가다가 문득 하늘을 쳐다보면 하늘에 닿을 듯 높게 솟은 건물들이 넘쳐났다. 그럴 때면 '저 많고 많은 건물 중에 나의 자리는 없을까?' 하는 생각에 슬퍼져 처량히 집으로 가던 때도 있었는데 말이다. 그래도 그때 그 노력이 아니었으면 이렇게 퇴근이라는 것을 할 수도 없었을 거란 생각에 다시 한번 사직서는 넣어둔다.

괜스레 부모님의 얼굴이 떠오른다. '부모님도 이렇게 고생하셨겠지' 라는 마음에 부모님이 보고 싶어진다. 오랜 시간 지하철을 타고 내린 뒤 부모님이 좋아하시는 빵과 간식거리를 사고 우리 집 강아지 또리의 간식도 샀다. 어릴 때 야근하고 오시면 한 손에는 빵이 담긴 봉투를 들고 오시던 아버지가 생각난다. 퇴근이 늦으시던 아버지는 지친 표정으로 들어오셨지만 동생과 나는 빵에 정신이 팔려 아버지의 지친 표정을 보지 못하였다. 그래도 신나하는 우리 남매를 보고 좋아하시던 아버지를 무척 좋아했다. 그때의 아버지 마음이 이해가 되는 듯하다. 집에 가서 오랜만에 가족들과 어릴 때처럼 수다를 떨어보고 싶다.

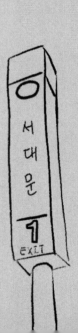

< 여의도   서대문   광화문 >

책임지는 연습

천지영

광화문에서 서대문역으로 가는 길은 내가 서울에 와서 처음으로, 걷기 위해 걸었던 곳이다. 평소 산책을 좋아하는 편은 아니지만 가끔 새로운 장소에 가면 그냥 걸어보고 싶을 때가 있다. 거리에 있는 건물들은 하나같이 너무 높았다. 서울엔 왜 이렇게 높은 건물들이 많은 걸까, 그리고 도로는 또 왜 이렇게 쓸데없이 넓은 걸까. 생각하며 걷고 있는데 누군가 말을 걸었다.

"안녕하세요. 혹시 잠깐 인터뷰해 주실 수 있으신가요?"

"인터뷰요...?"

"2023년 한 해를 한마디로 표현해 주실 수 있나요?"

그 어떤 긍정의 표시도 하지 않았는데 곧바로 질문이 들어왔다. 하지만 즉석에서 대답하기엔 너무 어려운 질문이었다. 그땐 아직 11월이기도 했고, 무엇보다 일 년을 어떻게 한마디로 표현해야 하나 당황스러웠다.

"아... 죄송해요, 잘 모르겠어요."

결국 서로 민망한 마무리를 하고 자리를 피했다. 그리고 다시 주변의 높은 건물과 넓은 도로를 보면서 걸었다. 지하철역 안에서는 사람이 많으면 정말 답답해 보였는데, 역 밖에서 보는 모습은 또 다른 느낌을 가져다주었다. 오히려 움직이는 사람들은 더 많은 것 같은데 생각보다 답답해 보이지 않았다. 공간과 밀도의 균형이 은근 규칙적으로 보이기도 했다. 시야가 편해지니 생각을 할 수 있었다. 올해는 어떤 해였나... 걸으면서 차근차근 생각해 보았다.

매년 겨울마다 연말에 느끼는 아쉬움이 조금씩 있다. 올겨울 역시 예외는 아니었다. 왜 조금 더 알차게 시간을 보내지 못했을까 하는 생각들은 아직 다 끝나지 않은 시간들에 후회를 남긴다. 한번 들었던 아쉬운 생각은 꼬리에 꼬리를 물고 거대한 싱크홀을 만들었다.

'조금만 더 열심히 공부할걸...'

'일찍 일어나는 게 그렇게 어려운 일인가?'

'그때 놀면 안 되는 거였는데.'

후회해 봤자 돌이킬 수 없다는 것을 알았을 때에는 조금씩 책임지는 연습을 했다. 나는 나 하나 정도 충분히 책임질 수 있다고 생각하면서 살았는데, 돌아보니 아니었다. 앞에서 끌어주는 손에 의지하고 뒤에서 밀어주는 손에 기대고 있었다. 홀로서는 연습을 미리 하지 않았던 대가로 비틀거리며 책임지는 연습을 하는 시간을 보냈다.

중간고사를 열심히 공부하지 않아, 기말고사 때 나는 어깨 위에 바위를 지고 있었다. 늦잠을 잤던 시간들은 나의 오전 일정을 망쳐버렸고, 새벽은 잠들어있던 아침을 책임지는 시간이 되었다. 그리고 나에 대해 고민하는 일을 미루고 놀기만 했던 나는, 결국 스스로를 잘 알지 못하게 되었다. 나는 나와 그리 친하게 지내지 못했다. 내가 좋아하는 것, 하고 싶은 것, 심지어 내가 어떤 성격인지도 가늠하기 힘들어졌다. 그리고 그 해는, 그 책임을 물었던 대학교 3학년의 해였다.

인터뷰에서 물었던 질문처럼, 한 해를 한 마디로 표현하기는 쉽지 않다. 그런데 조금씩 생각을 해보면서, 스스로 올 한 해를 압축한 감정을 느낄 수 있었다. 아쉬움과 후회, 그리고 미래에 대한 걱정과 동시에 열망이 어우러진, 미묘한 감정이었다.

거리에서의 생각은 어쩌면 삶의 단면들을 비춰보는 시간이었다. 높은 건물들은 자신의 한계를 넘어서는 듯한 용기를 불러일으키고, 넓은 도로는 그 안에서 서로 다른 사람들의 움직임이 나타내는 각자의 이야기를 품고 있었다. 마치 그 모든 것이 하나의 큰 퍼즐 조각처럼 어우러져 삶을 만들어가고 있는 듯했다.

책임감은 자신을 돌아보고 성장하게 하는 초석이다. 그 인터뷰의 질문은 그 순간을 통해 더 나은 자신을 찾고, 책임지는 데에 있어서 뜻깊은 고민을 심어주었다. 삶은 자신을 발견하고, 그 발견을 책임지며 향해가는 여정이다. 올해의 나는 그 책임을 연습하는 과정에 놓여 있었고, 앞으로의 책임 또한 가늠할 수 있는 시간이었다고 생각한다.

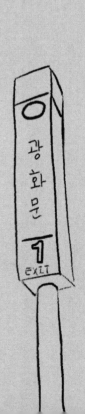

< 서대문   광화문   신금호 >

언니와 닮은 곳

지은결

언니는 내 롤 모델이다. 중학교 1학년 때부터 그랬다. 이유는 언니 덕분에 유명 인사가 되었기 때문이다. 언니와는 2살 차이지만 워낙 성숙하고 애어른인지라 고등학생 같은 느낌이 났다. 심지어 성격도 좋고 공부도 잘해서 선생님들께 예쁨 받고 친구들도 많았다. 내가 같은 중학교에 들어갔을 때 언니 친구들은 반에 찾아와서 인사해 주었고, 선생님들도 출석 부를 때 이름을 보더니 "네가 ○○이 동생이구나."라며 관심을 받았는데 그 관심이 썩 나쁘지 않았다. 오히려 좋았을지도 모른다. 그렇게 중학교 생활을 편하게 했고, 언니 덕을 많이 봤다. 어려운 숙제나 수행평가는 언니한테 물어보면 친절하게 알려 줬었는데 지금 보니 인생 참 편하게 살았다 싶다.

언니는 좋은 성적으로 좋은 고등학교에 들어갔고 기숙사 생활을 시작했다. 내가 딱 중2병에 걸려 예민할 때, 타이밍 좋게 언니와 떨어져 지내면서 언니와 사이는 더 좋아졌다. 자매는 머리가 클수록 떨어져 지내야 사이가 좋아지나 보다. (물론 같이 지내도 사이좋은 자매가 있기야 하겠지.)

그렇게 대학교도 기숙사에서 보내고 취업 후에는 자취 생활을 시작해서 언니랑은 한 달에 4번도 못 보는 꼴로 지내왔다. 그렇게 집에 올 때마다 언니는 내 자문 선생님이었고, 상담 선생님이었고, 같이 놀러 다니며 사진을 찍어주는 친구이기도 했다.

언니가 직장인이라 그런지 가자고 하는 곳은 대학생들이 주로 가는 곳보다는 직장인들의 절제된 낭만이 있는 곳이다. 광화문이 딱 그렇다.

광화문에서 언니와 조금 깊은 이야기를 나눴다. 늘 어른스러워 보이고 나와는 다른 세계에 있는 존재 같던 언니가 나와 같은 고민을 하고 있었고, 비슷한 일로 어려워하는 걸 처음 듣게 된 것 같다. 조금은 언니와 가까워진 것 같기도 하다.

그 이후로 고민이 생기면 위로와 힘을 받으러 광화문에 간다. 광화문 거리를 걸으면 대학생들의 느낌보다는 직장인들의 잔잔한 분위기가 느껴진다. 사람도 많이 없고 적적한 분위기 속에서 생각을 정리하기 좋다. 오르막과 내리막이 조화롭게 이어져 있고 익숙한 풍경, 신기한 풍경이 번갈아가면서 나타난다. 언니의 분위기와 비슷해서 그런지 언니와 있는 것 같다.

광화엔 여러 뜻이 있지만 이런 뜻이 있다고 한다. '빛이 사방을 덮고 가르침이 만방에 미친다.' 과장되긴 했지만 나에게 언니는 그런 빛 같은 존재다. 언니의 존재와 위로가 나에게 미치는 영향이 크다는 걸 알았다. 그게 좋은 쪽이라서 참 다행이다. 앞으로도 나는 광화에 자주 갈 것 같다.

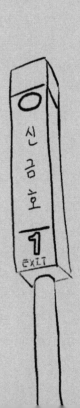

신금호에는 길 잃은
물고기가 살고 있어

김지수

어린 시절 성인의 삶에 대한 열망은 대단했다. 부모님의 울타리에서 벗어나 먹고 싶은 것, 사고 싶은 것, 하고 싶은 것은 마음대로 하면서 사는 삶을 하루하루 꿈꾸며 살았다. 부모님이 내가 원하는 것들은 하게 놔두신 분들이셨지만 내가 하는 행동의 책임이 나에게 있지 않다는 것이 답답했다. 그래서 나는 성인이 되고 싶었다.

시간이 흘러 고등학교를 졸업하고 성인이 되었다. 성인이 되자마자 하루도 빠짐없이 술을 먹고 집에 늦게 들어가기도 했고, 부모님이 주신 돈으로 하고 싶은 것들도 했다. 하루아침에 나에게 주어진 자유는 너무나 달콤했고 이것이 성인의 삶인가 싶었다. 그렇게 3월이 되었고, 대학교에 입학함과 동시에 5호선 신금호역 주변 집에서 혼자 살게 되었다. 집에 있을 때는 도와주지만 밖에 나가면 알아서 살라며 모든 지원을 끊으셨다. 나 또한 성인이 된다면 내가 사는 것은 알아서 살아야 한다고 생각했었다. 그렇기에 부모님의 도움 없이 잘 살아 보겠다며 호기롭게 나섰다. 하지만 자취 첫날부터 그 생각은 무너지고 말았다.

내가 자취를 했던 집은 외가에서 가지고 있던 아파트라 필요한 물품들은 대부분 있었으나, 자취한다는 기분도 내고 필요한 물품을 살 겸 다이소에 갔다. 가장 가까운 다이소는 한 정거장 거리의 행당역에 있었다. 길 찾기로 가는 방법을 검색해 본 후 신금호역에서 5호선을 탔고 행당역 안에 있는 다이소에 들어갔다. 필요한 물품들을 산 후 밖으로 나온 나는 허무함과 충격에 한동안 움직이지 못했다. 밖으로 나와 주위를 둘러보니 내가 사는 아파트가 눈에 보인 것이다. 처음 부모님과 떨어져 살게 된 후 처음 하게 된 선택이 고작 이런 어이없는 선택이라니 참 어이없었다. 부모님이 있어 내가 편하게 살 수 있었고 지금까지 했던 생각과는 다르게 생각해야 한다는 것을 느낀 순간이었다.

나의 행동에는 오로지 나 혼자만의 책임이 따른다는 것은 생각보다 힘든 일이었다. 금전적으로나, 정신적으로나 부모님에게 독립한다는 것은 갓 스무 살이던 나에게 버거웠다. 그래서 생활비를 벌기 위해 아르바이트를 하고, 단과대학 학생회를 하며 학교생활도 열심히 하다 보니 독립 전에는 겪어보지 못했던 다른 일들이 일어났다. 사회에 내던져진 나는 사회의 쓴맛을 경험하기 바빴다. 아르바이트를 하던 중 자신의 기분이 나쁘다며 카드를 던지고 반말을 하던 손님도 있었고, 술에 취해 가게에 실수를 한 사람의 뒤처리도 했다. 예상은 했지만 단과대학 학생회는 일이 많아 막차를 타고 가는 일이 빈번했고 좋은 취지로 했던 일임에도 불구하고 학우들은 마음에 들지 않다며 비판의 목소리를 냈다. 어른이 되어가는 과정으로 한 번 크게 겪는다고 좋게 생각하려 했지만 마음대로 되지 않았다. 한 달 동안 늦은 밤 아무도 없는 텅 빈 집에 들어와 매일 울었다. 고등학교 친구들은 똑같이 바쁠 것이고, 대학교 친구들은 아직 친하지 않을 뿐만 아니라 나를 싫어하는 친구들도 있어 마음을 털어놓기 어려웠다. 내 딴에는 삼 남매 중 장남이라고 부모님께 걱정을 끼칠까 내색하지 않았다. 세상 사람들은 이렇게 힘든 일들을 참고 살아가는 것인지, 아니면 나에게 유독 이런 일들이 일어나는 것인지 궁금했다. 계속되는 사회의 쓴맛을 죽을 때까지 참으며 살아갈 수 있을까란 의문이 들기도 했다.

시간이 조금 지나니 무덤덤해졌다. 더 상처받지 않기 위한 방법으로 말을 아끼고, 남보다는 나를 생각하고, 차가워졌다. 지금 와서 생각해 보면 성인이 된 이후로 항상 사회는 나를 힘들게 했다. 2020년 과 학생회 부회장을 할 때도, 2021년 2022년 군대에 있을 때도, 2023년 다시 복학을 했을 때도. 괜찮은 척하지만 사실은 괜찮지 않다. 적응할 만도 하지만 쉽게 되지 않는다. 그래서 나는 사회는 나에게만 힘든 것이 아닌, 모든 사람들에게 힘든 것이라 생각하기로 했다. 모두가 힘들지만 참고 살아가는 거라고 생각하기로 했다. 이 세상 모든 사람들이 행복했으면 좋겠다. 그러면 우리가 살아가는 사회가 조금은 덜 힘들지 않을까?

"서울에서 인천까지"

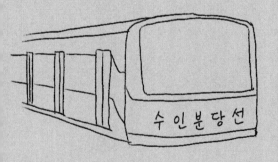

제4장

수인분당선

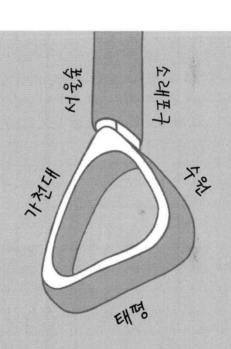

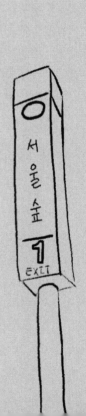

"평일 오후 서울숲에서 마주한, 그들"

박소연

"다들 어떠한 삶을 살고 계시는 분들이신지요?"

평소 다른 사람의 이야기를 듣는 것을 좋아한다. 그래서 술을 잘 먹지도 못하면서 술자리에 끝까지 남아 그들의 살아가는 이야기를 빠짐없이 듣곤 한다. 심지어 지하철에서 마주치는 사람들의 이야기도 궁금해하며 그 사람들의 사연을 상상해 보기도 한다. 이처럼 그들의 살아가는 이야기를 듣는 것 자체를 좋아하는 내게, 서울숲 또한 좋은 영감의 장소로 기억에 남아있다.

2023년 봄의 어느 평일 오후, 서울숲역으로 향했다. 친구와 피크닉을 하기 위해서였다. 그리고 이번이 태어나 처음으로 서울숲에 방문하는 날이었다. 늘 말로만 듣던 서울숲에 갈 생각에 꽤 설렜다.

서울숲에 도착해서는 친구와 근처 편의점에서 소소한 간식을 산 후 산책을 시작했다. 큼지막한 나무들도 많고 다양한 종류의 꽃들이 있는 것을 보며, '괜히 이름에 숲이 들어가는 게 아니었구나!'라며 혼자 깨닫기도 했다. 그 규모가 예상을 훨씬 뛰어넘어 놀랐지만, 아무렇지 않은 척 사진도 남기고 꽃향기도 맡으며 말 그대로 힐링하는 시간을 보냈다. 그렇게 짧은 산책을 한 후 넓은 공터에 돗자리와 아까 사 온 간식들을 폈다. 책을 좋아하는 나의 친구는 책을 읽기 시작했고, 사람 구경을 좋아하는 나는 사람 구경을 시작했다.

평일 오후인데도 많은 사람이 서울숲에서 여유롭게 시간을 보내고 있었다. 나는 휴학생이라서 이렇게 평일 오후에 여유를 즐기며 놀러 올 수 있었는데, 여기에 함께 있는 이 수많은 분들은 어떠한 삶을 살고 계시길래 지금 나와 같은 장소에서 시간을 보내고 있는 건지 매우 궁금해졌다.

캐치볼을 하고 있는 가족을 보며 '오랜만에 아빠가 시간이 나서 아이들과 시간을 보내고 있는 것일까?' 생각해 보기도 하고, 손에 커피를 들고 지나다니는 사람들을 보며 '이 주변 회사에서 근무하시는 분들일까?' 추측해 보기도 했다.

어쩌면 내가 이렇게 그들을 궁금해하고 상상해 보기도 한다는 것을 그들이 알게 되면 불쾌하게 느낄지도 모르겠다. 그래서 그들을 내 마음대로 추측해 보는 것이 미안하게 느껴지기도 한다. 하지만 내가 직접 그들에게 다가가 "어떻게 지금 이 시간에 이곳에 계신 건가요?"라는 질문을 할 용기는 절대 없기 때문에, 미안하지만 이렇게 나 혼자만의 상상에서 끝내야 할 것 같다.

처음 보는 사람이든 알고 지내던 사람이든, 그들의 말과 행동을 관찰하고 구경하는 것은 즐겁고 그 사람이 하는 생각, 살아가는 방식, 경험한 다양한 에피소드 등을 듣는 것은 늘 흥미롭다. 그래서 때로는 친구가 "너는 나를 늘 구경하더라." 라며 제3자의 느낌으로 늘 자신을 관찰하는 나에게 서운함을 토로하기도 했다.

그 친구의 마음도 이해가 되지만, 이기적이게도 나는 세상 모든 사람들의 이야기가 너무 재미있다. 그들의 이야기를 듣는 것이 좋고, 그들에게 듣지 못한 이야기를 혼자 상상해 보는 것도 좋다. 평일 오후에 각자의 여유를 즐기고 있는 그들의 사연이 궁금하고, 그들의 삶이 흥미롭다. 그래서 돗자리를 펴고 앉아 한참 동안 사람들을 구경하는 것이 전혀 지루하지 않다. 오히려 수많은 생각을 하느라 정신이 없기도 하고, 혼자 설레기도 하고, 마음이 포근해지는 느낌을 받기도 한다.

또한 지금 내 옆에서 책을 읽고 있는 나의 친구에 대해서도 빼놓지 않고 궁금해한다. 지금 어떠한 생각을 하며 나와 시간을 보내고 있는 것일지, 내가 그녀를 아주 멋있는, 닮고 싶은 친구라고 생각하는 것처럼 나 또한 그녀에게 꽤 괜찮은 사람일지 궁금해진다.

닮고 싶은 멋있는 사람과의 시간은 소중하다. 특별한 무언가를 하지 않아도 마음이 편안해지고 채워지는 느낌이다. 그

로부터 긍정적인 기운을 전달받은 걸지도 모르겠다. 그래서 지금 이 여유로운 마음을 더욱 오래 간직하고 싶어진다.

수많은 사람들과 스쳐가는 시간 또한 소중하다. 혼자 상상하며 그들의 스토리를 만들어보는 것이, 때로는 나에게 풍족한 마음을 주기도 하고 멋을 가르쳐 주기도 한다. 그래서 나에게 긍정적인 영향을 주고 있는 '사람 구경'이라는 독특한 취미를 쉽게 포기할 수 없을 것 같다. 혹시라도 서울숲 한가운데에 앉아 사람 구경을 하는 조금 이상한 사람을 본다면 못 본 척 지나가 주시길!

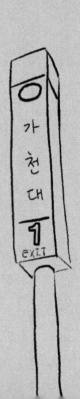

< 서울숲　　**가천대**　　태평 >

세 번의 환승 끝에 만난 대학교

지은결

　　먼저 이 글을 보는 사람 중 입시를 한 사람들에게 정말 수고했다고 말하고 싶다. 인생사에서 큰 경험 중 하나가 대입이지 않을까. 고등학교 3학년이 되면 그동안 본 어떤 시험보다도 부담스러운 시험 하나를 보게 된다. 대략 3개월간 배운 내용을 잘 기억하고 있는지에 대한 간단한 시험이 아니라 초, 중, 고등학교 12년의 생활을 평가받는 것만 같은 시험. 바로 대입.

　　누군가는 수시로 누군가는 정시로 대입을 보고 두 개를 다 준비하는 학생들도 있다. 그중 난 수시였다. 정시만큼은 잘 볼 자신이 없었다. 12년의 생활이 11월 15일 딱 하루를 통해 결정 나는 것 같아 부당한 방법 같다는 생각이 컸고, 그날 컨디션이 안 좋아서 결과가 안 나올까 하는 걱정도 심했다.

　　수시는 자소서를 써야 한다. 처음엔 자기소개서이지만 그렇게 끝내면 대학에 못 들어간다. 여러 선생님들의 검토와 몇십 번의 수정 이후 자기소설서와 비슷해질 때 그제서야 대학에 내밀 수 있는 수준으로 마무리 지을 수 있다.

그렇게 나는 가천대에 입학했다. 이 과정이 꽤나 편한 직행 좌석버스였다면 좋았겠지만 세 번의 환승을 해야 하는 지하철이더라. 내 집에서 가천대까지 가는 방법은 두 가지. 직행버스를 타고 1시간도 안 걸려 도착을 하거나 지하철을 타고 1시간 반을 가거나.

가천대에 원서를 넣을 때 1차 환승, 가천대 면접을 보고 난 후 2차 환승, 추합 소식 날에 3차 환승을 했다. 아무도 궁금하지 않을 나의 환승 이야기를 간단하게 풀어보려고 한다.

보통 자신의 성적과 비슷하거나 조금 낮거나 조금 높은 곳에 지원서를 넣는다. 그런데 가천대는 내 성적과 0.9 차이가 나는 상향 지원이라 선생님들이 날 뜯어말렸다. 내가 다닌 고등학교에서는 나보다 더 공부를 잘하는 친구들에게 가천대를 쓰게 했다. 담임선생님뿐만 아니라 다른 반 선생님들도 내가 붙을 거란 걸 기대도 안 했다고 했다. 가천대에 꼭 쓰겠다는 나에게 선생님들이 붙여준 별명은 '딱따구리'다. 고집이 어떻게 그렇게 셀 수 있냐며. 그 얘길 들은 교무실에 있던 선생님들은 다 같이 웃었다. 비웃는 건지 공감해서인지 알 순 없었다. 결국 담임 선생님은 어차피 딱 한 번 있는 원서접수인데 6개 중에 하나는 너 마음대로 써라라고 하시면서 포기하신 듯 보였다. 그렇게 원서 접수를 눌렀다. 심장이 미친 듯이 뛰었다. 떨어지면 선생님들한테 지는 것 같아서 제발 붙었으면 좋겠다 하는 초조한 마음이 심장박동을 더 촉진시켰다.

두 번째 환승. 면접이다. 면접 준비를 정말 열심히 했다. 생활기록부를 한 줄 한 줄 보면서 예상 질문지를 뽑아서 친구들과 방과 후에 남아 모의면접도 해보고 면접특강 같은 인터넷 강의들을 찾아 들으면서 면접 필승법을 공부하기도 했다. 대망의 가천대 면접 날. 마침 그날이 하향으로 넣은 대학교 면접도 같이 있었다. 그 대학에선 면접 질문을 미리 알려주고 답변 준비만 하면 됐었기 때문에 기다릴 때도 언제 내 차례가 되는 거지 하면서 여유로웠고 면접장 안에서도 정말 편안했다. 말도 청산유수로 잘 나와서 기분 좋게 가천대 면접장으로 향했다.

대기실에서 면접 준비를 하는데 순서는 거의 맨 뒤. 그런데 시간이 그렇게 빨리 지나갈 수가 없었다. 3(면접관):1(나) 면접이고 압박 면접이라는 걸 여러 사이트에서 봐서 알고 있었다. 그런데 앞에서 면접을 보고 나오는 몇몇 사람들이 울면서 돌아가는 걸 보며 손에 땀이 나고 추웠다가 더웠다가 심장이 고장 난 것 같았고 속도 안 좋았다. 화장실은 왜 또 그렇게 가고 싶은지. 기다리는 동안 화장실을 4번이나 왔다 갔다 정신이 하나도 없었다. 아직 준비도 다 안 됐는데 내 차례가 왔다.

면접장에 들어가서 일단은 웃었다. 그 웃음이 오래 가진 못했지만. 내 기준 제일 오른쪽에 앉은 분이 첫 질문자였나 보다. 아무도 말을 안 하시고 적막이 흘렀는데 오른쪽 분이 내 자소서를 뚫어지게 보시다가 입을 떼셨다. "언어의 프레임을 주제로 3번을 썼네요. 언어의 프레임이 되게 복잡하고 어려운 분야인데 잘 알고 썼어요?, 잘 알고 써야지 이렇게 수박 겉 핥기 식으로 쓰면 되나, 학교 특강에서 들은 주제인 것 같은데 여기에 쓴 이 문장 본인이 생각한 거예요? 아니면 특강 온 선생님이 말한 거예요?, 선생님이 말한 걸 본인 생각인 것처럼 쓰면 안 되지, 이게 표절이지 뭐야."

어지러웠다. 질문은 맞는데 혼나기만 해서 내가 한 답변은 단답형 또는 죄송합니다. 잘 몰랐습니다. 눈물이 앞을 가릴 뻔한 순간. 중간에 앉아 계신 분이 드디어 생활기록부를 보시고 준비해온 질문을 던졌다. 다행이다 싶어서 말하는데 갑자기 밖에서 큰 전투기 소리가 내 말을 잡아먹었다.

하필 그 날이 에어쇼 날이었다나 뭐라나. 그전까진 시작 안 하고 있다가 내가 말문 튼 순간 이러니 세상이 나를 억지로 까고 있는 건가 싶었다. 그렇게 내 귀에도 잘 안 들리는 답변을 마치고 나니 제일 왼쪽에서 졸린 듯 눈을 감고 계시던 분이 마지막으로 하고 싶은 말 있는지 물어보셨고 마지막 한 마디만큼은 잘 말해야지 하다가 말이 꼬여서 더듬어버리고 말았다. 총체적 난국이었던 내 면접. 문을 열고 나올 때까지 꾹 참았던 눈물이 바로 터져버렸다. 면접 대기실에서 받은 내 이름이 있는 스티커를 찢어서 버렸다. 이게 내 두 번째 환승이었다.

마지막 환승. 다행히도 종착역은 가천대이고 해피엔딩이니 보면서 걱정은 하지 않길. 예비번호가 15번이 떴다. 하. 조금의 기대라도 해보려고 전년도, 전전 연도 추가 합격자 예비번호를 확인했다. 다 한 자릿수. 절망적이었다. 결국 다른 대학교에 가야 하는 건가. 노선을 바꿔야 하는 건가. 별생각이 다 들면서도 포기할 수 없었다. 마지막 추가 합격 날까지 핸드폰이 이러다 진짜 뚫리겠다 싶을 정도로 들여다봤고, 가족에게 신신당부를 했다. 모르는 번호로 전화 오면 무조건 받으라고. 추가 합격 발표 마지막 날, 등록금 접수기간이 2시간 남은 시간. 모르는 번호로 전화가 왔다. 쿵. 쿵쾅 쿵쾅 쿵쾅. 아니야 진정해. 아닐 수도 있잖아? 설레발치는 내 심장을 진정시키며 전화를 받았다. 세상에. 곧바로 아빠에게 전화를 하고 이미 합격한 대학에 전화를 해서 등록금을 취소하고 가천대에 넣었다. 그러고 난 뒤, 난 침대를 망가뜨릴 뻔했다. 어렸을 때 생일날 친구들과 같이 가던 방방에서보다 더 높이 더 가볍게 침대 위에서 뛰어다녔다. 소리도 질렀다. 다행히 이웃분들이 신고는 안 해서 이렇게라도 감사의 말씀 전한다. 그리고 별로 궁금하지 않았을 내 입시 얘기를 들어준 독자분들께도 감사의 말씀 전한다.

나는 학교까지 지하철을 타진 않는다. 세 번의 환승이 힘들기 때문이다. 조금의 돈을 더 내고 광역버스를 타고 한 번에 간다. 그 조금의 돈. 입시 때라고 생각 해보면 조금의 내신, 조금의 노력이었지 않을까. 그럼 내가 가고 싶은 곳에 조금 더 쉽게 도착할 수 있지 않았을까.

그래도 난 세 번의 환승을 후회하지 않는다. 힘들었지만 그 과정에서 다양한 경험을 할 수 있었기 때문이다. 앞으로 내가 가고 싶은 도착지를 결정할 때마다 새로운 환승이 기다리고 있겠지. 독자들도 마찬가지라고 생각한다. 그 환승이 마냥 어렵고 힘들지만은 않길, 다양한 사람들과 사건들을 마주하며 재밌는 지하철 여행이 되길 바라고 응원한다.

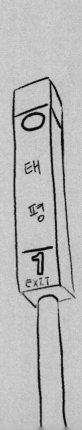

< 가천대   태평   수원 >

어서 오세요

천지영

자정이 넘은 시간, 죽전행 막차가 태평역을 지난다. 열차가 다가올 때쯤이면 사람들은 하나둘 뛰기 시작한다. 도대체 지금까지 뭐 하다가 막차를 타려고 뛰는 걸까 생각하며 삼각김밥을 뜯었다. 김밥을 먹고 있자니 라면이 눈에 들어온다. 신상 라면 들어왔던데 한번 먹어볼까? 그런데 라면에 물 올리는 건 누구를 부르는 예식이라더라...

"띵동"

"어서 오세요."

라면에 물도 올리기 전에 누군가 문을 열었다. 그리고 뒤를 이어 다섯 명 정도가 줄줄이 따라 들어온다. 그렇게, 들어오는 사람들을 맞이하고, 원하는 물건을 찾아주고, 쉴 틈 없이 계산까지 해주면 하나둘씩 사람들이 나간 자리에 딱딱해진 삼각김밥이 남아있다. 이곳은 태평역에서 내린 사람들의 방앗간, 편의점이다.

막차가 떠난 역 앞은 조용하다. 그리고 역의 철문이 내려오면 편의점도 조금씩 한가해질 준비를 한다. 새벽 1시가 지나고 편의점에 들어오는 사람들은 대부분 담배를 찾는 단골손님들이다. 편의점 알바를 시작한 지 얼마 되지 않았을 때는 담배를 꺼낼 때 인형 뽑기 기계와 별반 다르지 않았다. "왼쪽! 어 거기 위에! 아니 그 밑에! 두 번째 칸!" 이렇게 몇 주 정도 지나고 나니 진열대를 채우면서 외워두었던 담배들은 어느 정도 빠르게 찾을 수 있게 되었다. 하지만 사람들이 자주 찾지 않는 담배 앞에서는 여전히 인형 뽑기 기계가 된다. 불행 중 다행으로 내가 일하는 야간 시간대에는 거의 같은 사람에게 같은 물건을 팔기 때문에 얼굴만 잘 익혀두면 담배 정도는 순조롭게 팔 수 있다.

"띵동"

"어서 오ㅅ..."

"라이트~"

파란색 캔 커피. 출입문에서부터 십 년 전의 담배 이름을 외치며 들어오는 이 손님은 십중팔구 음료수 냉장고로 향해

파란색 작은 캔 커피를 가져온다. 십 년이면 슬슬 바뀐 이름으로 불러줄 법도 하지만 이 손님에게는 여전히 그 이름으로 남아있는 듯하다.

십 년 전을 기억한다는 것. 점찍지 못한 과거를 기억하는 것은 정말 쉽지 않다. 나도 나의 십 년 전을 기억하지 못하는데 십 년 전의 나를 기억하는 누군가가 있을까 생각해 보면 부모님 외에는 없을 것 같다는 느낌이 든다. 인간은 기억으로 살아간다고 하던데 당장 십 년 전도 기억하지 못하는 나는 십 년 후에 지금의 나를 기억할 수 있을까? 십 년은 고사하고 한 달만 지나도 기억하지 못할 시간들을 보내고 있었다. 어떻게 보면 십 년 전의 이름을 고집하는 저 손님도 나름대로 자기 십 년의 기억을 지키려고 애쓰고 있는지도 모른다. 어쩌면 누군가에게는 이름이 기억이 된다.

"띵동"

"어서 오세요."

"안녕하세요."

들어오면서 고개까지 꾸벅여주는 저 손님은 매일 고민 없이 삼각김밥과 함께 요거트 향이 나는 담배를 찾는 손님이었다. 그런데 최근 몇 주 동안 편의점 안에 들어오면 안 하던 고민을 하기 시작하더니 계산대에 가지고 오는 물건이 늘었다. 삼각김밥을 비롯해 컵라면, 과자, 음료수 등등 여러 군것질거리들을 함께 사 간다. 담배 달라는 소리를 안 하는 걸 보니 아무래도 금연을 시작한 모양이다.

사람의 의지로 어디까지 할 수 있을까. 산 채로 관속에 들어가 일주일을 버텼다는 그 사람은 어디서 그런 의지가 나왔을까? 나더러 의지가 부족하다고 했던 그 사람은 지금 그 잘난 의지로 어떤 걸 이루었을까. 노력도 재능이라는 말처럼 의지를 유지하는 것도 재능의 영역이지 않을까? 더 이상 생각하지 않기로 했다. 의지가 어떻든 마음먹고 행동하는 단계는 누구나 할 수 있으니까 그 시작이 가장 중요할지도 모르겠다.

이 시간에 이곳을 지나는 사람들은 어떤 생활을 하고 있을지 궁금해진다. 카페에서 일할 때는 단 한 번도 생각해 보지 않았던 남의 이야기가 편의점에서는 궁금해진다. 공간이 주는 감정도 있겠지만 아무래도 새벽이라는 시간이 주는 감정의 이유가 더 큰 것 같다. 매일 새벽 1시에 새우깡과 코카콜라를 사 가는 그 사람은 도대체 그 시간에 뭘 하는 걸까. 새벽 4시 10분이 되면 어김없이 들어와 와인향 담배를 사 가는 그 아주머니는 그때 출근을 하시나? 새벽 5시에 매일 와서 교통카드를 5000원씩 충전해 가던 그 아저씨가 어느 날 3000원만 충전해 갈 때. 그런 사소한 것들에서 남의 이야기가 궁금해지는 순간이 있다.

< 태평   **수원**   소래포구 >

단발머리

이효진

"아... 망했어... 어떡해....."

한 소녀가 거울 속 방금 자른 단발머리의 자신을 보며 울
먹거린다. 중학교에 입학하고 2년 내내 좋아하던 민재의, 단
발머리가 이상형이라는 말에 고민 끝에 긴 머리를 잘라버렸
다. 초등학생 이후로 단발로 잘라보긴 처음이었다. 하지만 기
대했던 것과는 달리 시골 소녀 같아 보이는 자신을 볼 때마
다 울음이 터질 것 같다. 마침 가장 친한 민지한테서 전화가
온다.

"여보세요? 재희 뭐해? 놀자"

"민지야..... 나 큰일났어.... 머리 망했어. 나 앞으로 학교 못
가 "

민지의 목소리를 듣자마자 하소연을 하며 다시 울음이 터질 것 같았다. 민지는 나의 말에 웃으며 위로를 해준다. 일단 만나서 얘기하자며 서둘러 약속을 잡는다. 재희는 짧디짧은 머리를 조금이나마 늘리기 위해 울상을 지으며 고데기로 머리를 폈다. 마음 같아선 이 모습으로 돌아다니기 싫지만 집에만 있으면 너무 우울할 것 같아 민지와 만나 마음을 달래기 위해 준비를 한다.

수원역으로 향하는 지하철에 타 자신을 비춘 창을 바라보며 억지로 머리를 아래로 끌어당긴다. 아무리 끌어당겨도 머리는 제 위치로 돌아간다. 답답한 마음에 고개만 숙인다. 괜히 다들 자신의 머리를 쳐다보며 웃는 것 같아 서둘러 민지를 만나러 간다.

민지를 만난 재희는 민지에게 망했다며 하소연했다. 그런 재희의 모습에 민지는 웃으며 달래주었다. 추운 바람이 부는 탓에 코끝은 빨개졌지만 두 아이의 해맑은 미소는 밝기만 했다. 평소처럼 맛있는 것도 먹고 노래방도 갔다. 이제 해가 뉘엿뉘엿 기울어 점점 추워지는 탓에 카페를 가기로 했다. 둘이 신나게 떠들며 가던 중에 민지가 놀랐다. 민지의 시선을 따라가니 민재가 있었다. 민재는 민재의 친구들과 함께 있었고 곧 우리를 발견하고 인사를 건넸다. 서로 같은 반이기에 친했던 우리는 민재와 민재의 친구들과 함께 놀기로 했다. 민지는 아무렇지 않게 말도 잘 걸며 놀고 있지만 나는 민재 앞에만 서면 몸이 굳어버린다. 2년 연속으로 같은 반이어서 잘 알기는 하지만 민재와 대화할 때면 머리가 멍해져 대화를 많이 못

해봤기 때문에 많이 친해지진 못했다. 민지가 다른 친구들과 얘기하며 신나 할 때 민재가 내 옆으로 와서 말을 걸었다.

"머리 잘랐네?"

"으응..."

민지와 놀며 잊고 있었던 내 짧은 머리 얘기에 황급히 고개를 숙였다. 방학이 끝나면 조금이라도 길어 있을 테니 학교에 갈 때는 늘 머리를 묶겠노라 했던 내 다짐이 무색하게 민재가 내 머리를 보게 되었다. 망한 것 같다. 속으로 자책하고 있을 찰나에, 민재의 잘 어울린다는 말에 바보같이 벙쪄있었다. 다행히 밖이 추운 탓에 빨개진 볼을 숨길 수가 있었다. 민재의 말에 아무 말 못 하고 있을 때 다같이 카페에 도착했다. 민지가 머리를 써 나를 민재 옆에 붙여주었다. 물론 괜찮다고 피하려고 했지만 무서운 웃음을 지으며 날 밀어 넣은 민지가 원망스러웠다. 다같이 음료를 시키고 앉아 방학 동안 뭐 했는지 얘기를 하고 있었다. 옆에 있는 민재 탓에 대화가 잘 들리지 않아 친구들의 웃음에 따라 웃기만 했다. 신난 아이들을 자기들끼리 떠드느라 정신이 없을 때 민재가 나에게 조용히 말을 걸었다.

"너는 뭐하고 지냈어?"

갑자기 묻는 민재에게 어버버하다 그냥 학원만 다녔다며 재미없이 대답했다. 또 속으로 내가 바보 같아 자책하던 중 내 핸드폰이 울렸다. 이제 곧 저녁 먹을 시간이라며 집에 들어오라는 엄마의 잔소리에 아쉬워하며 이제 가봐야겠다고 말했다. 민지는 재미있는지 나보고 조심히 가라며 자기는 더 놀다 가겠다고 한다. 그런 민지를 아무도 모르게 흘깃 쳐다보고 친구들에게 인사를 하고 나가려던 중에 민재도 일어났다. 자기도 집에 가야 한다며 같이 가자는 민재의 말에 방금 민지를 째려본 게 미안했다. 아무렇지 않아 보이려고 하지만 머리 속은 하얘져서 무슨 말을 꺼낼 지 모르겠다. 그러던 중 민재가 말을 걸었다.

"너는 단발이 잘 어울린다. 이뻐."

얼굴이 터질 것 같았다. 급하게 고맙다는 말을 건네고 너도 지금 머리 잘 어울린다며 헛소리를 했다. 그 말에 웃은 민재를 보고 굳었던 몸이 좀 풀려졌다. 이제 좀 편해져 민재와 떠들며 지하철을 타러 갔다. 알고 보니 민재는 나와 같은 아파트에 옆 동이었다. 매번 학교가 끝나면 바로 학원으로 가던 탓에 민재와 집이 근처였던 것을 이제 알게 되었다. 수원역과 멀지 않아 금방 도착할 거리지만 민재와 나는 지하철에 앉아 도란도란 이야기를 나눴다. 지하철에서 나와 집으로 향하며 이제야 민재와 어느 정도 가까워진 것 같아 너무 좋았다. 우리는 장난치면서 웃고 떠들다 보니 벌써 집 앞에 도착했다.

한편으로 아쉬워하며 인사를 하고 들어가려는 데 갑자기 민재가 날 불러 세웠다. 그리고 앞으로 학교 갈 때 같이 가자며 말을 건넸다. 기쁘고 환호하는 마음을 숨긴 채 덤덤하게 알겠다고 말했다. 집으로 들어간 나는 뛸 듯이 기뻤다. 시끄럽다며 엄마한테 혼이 났지만 민재와 많이 가까워진 것 같아 행복했다. 이 사실을 얼른 민지에게 문자로 알렸다.

10 년이 흐른 뒤 어김없이 지하철을 타고 수원역을 지난다. 수원역은 집과 가까워 친구들과 자주 놀던 곳이었다. 대학 생활 하면서도 술 마시기 위해 자주 갔었지만 수원역하면 내 중학생 때가 가장 많이 떠오른다. 그때 잘랐던 짧은 단발 머리는 이제 갈색으로 덮인 긴 머리가 되었고 앳되었던 어린 나는 이제 출근도 하는 직장인이 되었다. 그 당시 좋아하던 친구의 한마디에 들뜨고 서러웠던 마음은 이제는 많이 무뎌졌다. 가끔가다 출근하는 지하철 안에서 창문을 바라보며 단발머리의 순수했던 나를 떠올렸다. 민재와 나는 그 이후 중학교 내내 붙어 다니며 친한 친구가 되었지만 점점 내 마음을 고백할 수 없었다. 그러다 민재는 고등학교에 올라갈 때 즈음 유학을 가게 되었고 고백도 못 한 채 민재에게 안겨 울음만 터뜨렸다. 시간이 흐르고 민재는 한편의 추억이 되었다. 민재가 유학을 가고 간간이 연락을 해왔지만 시차탓에 점점 연락

은 줄어들었다. 나도 내 일상이 바빠 민재를 잊고 지냈다. 이제는 떠올리면 풋풋하니 귀여웠던 이야기이다. 갑자기 '민재는 잘 지낼까'라고 문득 든 생각에 실소만 나왔다. 그런 내 모습에 고개를 저었지만 예전에 둘이 나눴던 메일이 생각나 메일함을 들어갔다. 예전 메일을 쭉 보다 새 메일 알람이 떴다. 민재였다. 놀란 마음에 글은 눈에 들어오지 않았지만 이름은 선명하게 보였다. 그 이름으로 나는 10 년 전처럼 다시 설레기 시작했다.

< 수원   **소래포구**   인의 >

소래포구 울리는 뱃고동 소리에

김지수

　나는 초등학교 6학년부터 대학에 들어오기 전까지 수인분
당선 인천 논현역과 소래포구역 사이에서 살았다. 이곳은 서
울로 출퇴근하는 사람들이 많아 베드타운의 성격을 띠고 있
었지만 희한하게 소래포구라는 관광지를 가지고 있어 사람이
붐비는 곳이었다. 주말이면 관광과 수산물을 사러 오는 사람
들 때문에 동네는 엄청나게 붐볐고 나는 이런 우리 동네가
싫었다.

　여름만 되면 동네에 이상한 냄새가 나기 시작했다. 근처에
축사가 있는 것도 아니고, 하수처리장이 있던 것도 아닌데 이
상한 냄새 때문에 잠을 잘 수가 없었다. 알고 보니 그 냄새는
소래포구에서 오는 냄새였다. 물고기를 손질하고 남은 것들과
바닷물의 짠 내가 섞여 이상한 냄새를 만들고 있던 것이었다.
후각에 민감했던 나에게 여름은 정말 힘들었다. 또 소래포구
역을 지나는 버스와 전철에는 포장해 가는 수산물에서 흘러
나온 바닷물 냄새가 정말 심했다. 소래포구에 관광차 오신 어

르신들이 해산물을 사 들고 가는 과정에서 물이 샌 것인데, 여름에 바닥에 스며들어 있는 냄새는 정말 참기 어려웠다.

서해에서 불어오는 바닷바람 또한 나를 괴롭혔다. 바람이 조금이라도 부는 날에 밖에 나갔다 오면 떡이 지기 일쑤였고, 운동을 하지 않아도 몸에서 짠 기가 느껴졌다. 거기에 운동이라도 한 날에는 내 땀 때문인지 바닷바람 때문인지 온 몸이 절어있는 것만 같았다.

그렇다고 좋지 않은 기억만 있는 것은 아니다. 고등학교 2학년 소래포구 축제 기간 때였다. 내가 다니던 고등학교는 전교 1등부터 20등까지 등수를 매겨 그 인원들은 야자를 필수로 해야 했다. 그날은 소래포구 축제가 시작되는 날이었다. 매년 열리는 축제는 가수들을 불러 축하 공연을 하곤 했는데, 그날 공연을 오는 가수가 볼빨간사춘기였다. 볼 빨간 사춘기는 그때 당시에도 엄청난 인기를 끌고 있었으며 남고생들의 마음에 불을 지피기에는 충분했다. 한 학생의 주도로 나를 포함한 야자를 필수로 해야 했던 인원들이 모였고, 볼빨간사춘기를 보러 가기 위해 단체로 야자를 째기로 했다. 저녁을 먹고, 우리는 가방을 챙겨 아무 일 없단 듯이 교문 밖을 나왔다. 저녁을 먹고 나오니 공연 시간이 얼마 남지 않았고, 2킬로미터가 넘는 거리를 쉬지 않고 뛰었다. 그렇게 우리는 볼빨간사춘기의 노래를 들을 수 있었고, 떼창으로 안지영의 어이없어하는 웃음을 보는 데 성공했다. 그렇게 공연이 끝나고 우리는 집으로 돌아가려고 했으나 결국에는 학생주임 선생님께 걸렸고 학교로 돌아가 추가 야자까지 해야 했다. 볼빨간 사춘기를 실제로 봤다는 기쁨은 그렇게 하기 싫던 야자도 하고싶게 만들었다.

어릴 적 내가 살던 곳에 대한 기억은 물론 좋은 기억들도 있지만 안 좋은 기억들이 더 많은 것 같다. 시간이 지나면 안 좋은 기억들도 미화되어 좋은 기억들로 바뀐다고 하지만, 그래도 좋았던 기억보다는 안 좋은 기억이 먼저 떠오른다. 왜 좋지 않은 기억들이 먼저 떠오를까 생각해 보았다. 그리고 그때의 나는 불안정한 상태였다는 결론을 내릴 수 있었다. 내가 인천 논현동에 살았던 당시는 소위 아무도 건들지 못한다고 말하는, 중2병을 겪는 그 나이 언저리였다. 내가 무엇을 원하는지 정확히 알지 못하고, 이 세상에서 나는 어떤 존재로 살아가야 하는지 나는 어떤 사람인지 정확하게 알지 못했을 때다. 그러니 지금은 사소한 문제로 넘어갈 수 있는 일들이 그때는 크게 다가와 화도 내고 기분도 좋지 않았던 것 같다.

사람은 언제나 불안정할 때가 있다. 여러 안 좋은 일들이 겹쳐 왔을 수도 있고, 자신에게 요구하는 것들이 크게만 느껴질 때도 사람은 불안정해진다. 어쩌면 나 자신이 나 같지 않을 수도 있다. 그럴 때면, 잠시 쉬면서 행복했던 기억들을 돌아보면 어떨까? 행복한 기억은 늘 언제나 우리 곁에 있을 것이다. 잠시 불안정해 잘 정리해둔 행복을 찾지 못했던 것이니까.

"우리 열차에 탑승해 주신 승객 여러분들께 알립니다.

저희 열차는 곧 종점에 다다를 예정입니다.

잊고 계신 추억이 있었다면 꼭 잊지 말고 챙겨서

안전하게 하차해 주시길 바랍니다.

감사합니다."

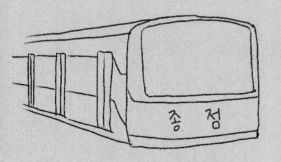

기관실에서 알립니다

어서 와, 지하철은 처음이지?

지은결

　어서 와, 지하철은 처음이지?'
기억이 어렴풋한 초등학교 4학년. 이모 집에 가는 거였나. 지
하철을 타고 가야 했다. 한 손에는 엄마 손, 한 손에는 언니
손 꼭 잡고 끌려갔다. 어떤 이상한 기계 앞에서 일회용 지하
철 티켓을 뽑았다. 그걸 손에 꼭 쥐고 지하철을 타러 향했다.
지하철 게이트는 마치 큰 고급 저택의 문처럼 웅장해 보였고
어쩌면 무섭기도 했다.
　차를 타고 가로수길을 지나듯 키가 큰 사람들이 내 양옆을
빠르게 지나다녔고 정신을 차려보니 도착지에 와있었다. 나에
게 지하철의 첫 기억은 그다지 좋지 않았다.
　몇 년간 혼자 지하철 타는 일이 생기면 피해 오다가 중학생
이 되어 친구들과 함께 지하철을 탈 일이 생겼다. 주변 사람
들의 시선을 신경 쓰는 터라 친구들에게 지하철에 익숙한 사
람처럼 보이고 싶었다. 그렇게 다 아는 척 사람들이 많이 가
는 쪽으로 따라갔다. 그리곤 길을 잃었다. 친구들은 나를 가이
드로 생각하고 따라오는 중이었고 그 순간 나는 식은땀이 났
다. 길을 잃은 티를 내고 싶지 않았다. 그땐 지하철 노선도를
볼 줄도 몰랐고 노선도를 보면 초행이라는 티가 날까 봐 보
고 싶지 않았다. 그리고 지하철을 많이 탄다는 식으로 허풍을

늘어놓았으니 더더욱 심장이 뛰었다. 뒤에서 '어디로 가야 돼? 여기가 맞아?'라는 말들이 들려오고 '여기 아니지 않아?'라는 말이 들려왔다. 그런 상황이 너무 싫었다.

초행이라는 걸 들키는 게 왜 그렇게 싫었을까. 왜 초행인 걸 감추고 싶었을까. 알지 못한다는 것에 대한 두려움과 부끄러움은 왜 큰 걸까. 모르는 건 부끄러운 게 아니라고들 한다. 하지만 아는 척하다가 모르는 걸 들켰을 때 더 부끄럽다는 것은 직접 경험하고야 알게 됐다. 초행자들에게 말하고 싶은 건 부끄럽겠지만 우리 모두 다 그랬고, 더 부끄럽지 않기 위해서 물어보라는 것이다.

목적이라는 것

천지영

처음 서울 지하철을 봤을 때의 충격을 잊을 수 없다. 넓은 역이 꽉 찰 정도로 많은 사람들이 돌아다니는 곳, 대한민국에 그 많은 사람들이 살고 있다는 게 체감되었던 날이다. 모두 각자의 우주에서 살고 있는 그 사람들은 다들 자기만의 목적이 있을까. 아니면 태어났으니 즐기면서 살아가는 걸까.

지하철역은 목적이 있는 공간이라는 점이 좋다. 막상 나는 막연하게 타더라도 열차는 종점을 향해서 달리니까. 그 종점까지 가는 길에 나의 목적지가 있을지도 모른다는 생각이 들면 점 찍히는 기분이 든다. 목적은 사람을 움직이게 한다.

움직이는 사람들은 신기하다. 사람들 각자가 살아온 시간이 있을 것이라 생각하면 약간 소름이 돋기도 한다. 스쳐 지나가는 사람들은 나에겐 단역과 다름없는데 그 사람의 목적이 있는 세계가 있다고 생각하면 느낌이 정말 이상하다. 그렇게 지하철역에서 스치는 그 많은 머릿수만큼의 세계가 또 있다면 어떤 느낌일까. 어지러워진다. 사람들의 목적은 나를 혼란스럽게 한다.

지하철에 앉아있으면 많은 생각이 든다. 생각하기 정말 좋은 시간이고 고민하기 딱 좋은 시간이다. 가끔 지상을 지나는 열차를 탔을 때 보이는 바깥 풍경은 정말 괜찮다. 그 풍경을 목적으로 지하철을 타는 것도 괜찮겠다 싶었다.

학교 축제

이효진

중고 신입. 코로나 이후 새 학기가 시작하고 나서야 나는 학교에 처음 갔다. 하지만 이미 나는 3학년이다. 대학 가면 해보고 싶었던 로망은 이루지도 못한 채 곧 졸업을 앞둔 사망년. 학교를 가면 후배들이 있지만 뭘 해본 적이 없어 알려 줄 것도 없고 선배인지 후배인지 알 수도 없다. 동기사랑 나랑사랑 이라지만 내 동기들 또한 잘 모른다. 웹 강의로 얼굴만 본 채 인사도 나눈 적이 없다. 차라리 1학년이면 좋겠다. 그래도 이제는 대면 강의를 시작하면서 학교를 가게 되었다. 내가 다니는 학교지만 낯설었다. 그래도 몇 번 와봤다고 늘 다니던 건물은 익숙하더라. 수업은 웹으로 듣든, 직접 수업으로 듣든 지루했다. 지루한 마음에 주위를 둘러봤지만 아직은 어색한 얼굴뿐이었다. 수업이 끝나면 나는 바쁜 일이 있는 것마냥 집으로 향했다. 약속이 있는 것도 아니고 가끔가다 학교가 끝나면 아르바이트를 하러 갈 뿐이었다. 이렇게 졸업을 하려나. 내가 생각하던 대학은 이게 아니었는데 말이다. 하지만 이미 친해질 아이들은 친해졌고 대학교는 고등학교랑은 너무 달랐다. 학교를 다니면 자동으로 친구가 생기던 고등학교와는 달리 대학교는 대학 생활을 하지 않으면 친해지기 어려웠다. 가끔은 외로웠지만 이것도 나쁘지 않았다. 괜한 위로일까.

곧 축제를 한다는 얘기가 돌았다. 근데 나와는 먼 얘기 같았다. 하필 우리 학교는 봄 학기에는 물놀이 축제를 한다고 한다. 혼자 가서 뭐 하나 싶어 한편으론 부러운 마음이 들었지만 물놀이도 좋아하지 않아 그냥 그런가 보다 하고 생각했다. 점점 축제가 가까워지는 건지 학교가 시끄러워졌다. 지하철을 타면 학교역이 가까워지면서 드레스코드라던 파란색 옷들이 눈에 띈다. 가천대역을 도착해 나오자 파란 옷들이 많이 보였다. 축제 당일임을 알려주는 것 같았다. 학교 곳곳마다 부스가 설치가 되고 지나가는 학생들 얼굴엔 웃음이 가득했다. 궁금은 했지만 혼자 가기엔 뻘쭘한 마음에 눈을 돌려 강의실이 있는 건물로 향했다. 그러던 중 뒤에서 누군가 내 이름을 부르는 소리가 들렸다.

의아한 마음에 뒤를 돌아보니 같은 과 동기로 알고 있던 친구였다. 뒤에서 뛰어왔는지 헉헉거리며 숨을 고르던 친구는 자기를 기억하냐며 같은 과라고 자기를 소개했다. 사실 인기 많던 그 친구는 눈에 띄었기에 같은 수업을 듣는 것도 알고 있었지만, 괜히 "그랬나" 하면서 얼버무렸다. 그래도 그 아이는 해맑게 웃으며 같은 수업이라며 나에게 팔짱을 끼고 같이 이동했다. 오랜만에 해보는 친구와의 팔짱에 당황했지만 학교에서 누군가와 얘기하며 걷는다는 게 처음이라 싫지만은 않았다. 강의실로 향하면서 친구의 이야기를 들어주었다. 할 말이 많은 지 그 아이는 강의실로 가는 길에 계속 재잘거렸다. 과제 얘기, 강의 얘기 쉴 틈 없이 얘기하는 친구의 모습에 웃음이 났다. 그 이후로는 그 친구와 잘 맞아 친해졌다. 수업이

몇 개 겹치던 그 친구와는 자주 같이 다녔고 외롭고 삭막했던 학교생활이 밝아졌다. 그리고 이번에 학교 축제를 같이 가자는 친구의 말에 고민을 하다 같이 가기로 했다. 나랑은 관련 없는 일 같았는데 축제를 간다니 괜히 설레었다. 이제는 내가 원했던 대학 생활을 할 수 있을 것만 같아 앞으로가 더 설레었다.

"지하철 노선도, 우리의 추억 지도"

박소연

"우리는 공간으로 추억을 기억한다."

이번에 책을 기획하고 쓰면서 가장 많이 든 생각이었다. 사실 나는 어렸을 때 유독 내가 지금 어디에 가는 건지, 어디에 있는 건지에 대한 관심이 별로 없었다. 아무래도 그때는 스스로 계획하고 여행을 떠난 것이 아니었고, 부모님 손에 이끌려 간 여행들이었기 때문에 더욱 흥미도 관심도 덜했던 것 같다. 그래서 과거에 내가 어디를 다녔는지 지금까지도 잘 기억하지 못한다. 그래서 지금에서야 뒤늦게 아쉬움을 많이 느끼곤 한다.

스스로 여행을 계획하고 떠날 수 있게 된 지금은, 내가 여행했던 어느 지역을 생각했을 때 '그때 거기서 어떤 걸 봤지, 어떤 걸 했지.'라는 기억을 떠올릴 수 있게 되었다는 사실에 뿌듯하기도 하고 행복하기도 하다. 나아가 앞으로 더 많은 곳을 여행하고 싶은 마음이 들고 더 많은 추억을 쌓고 싶다는 생각 또한 든다.

그래서 '지하철을 이용해 우리의 추억을 떠올려보자.'와 같은 마음에서 아이디어를 내고 이 책을 기획하고 쓰게 되었을 때, 지하철 노선도 또한 하나의 추억 지도가 될 수 있겠다는 생각에 좋았다.

지하철 노선도를 살펴보면 수많은 역이 있다. 그리고 그 역의 이름을 볼 때면, '아 여기에서는 뭘 했었지, 누구를 만났었지.'와 같은 추억을 쉽게 떠올릴 수 있다는 사실이 놀랍기도 하고 흥미로웠다. 그 역이 특정한 누군가를 떠올리게 만들 수도 있고 추억을, 사건을 떠올리게 할 수도 있다는 생각에 우리의 추억은 지하철 노선도가 기억해 주고 있다는 생각이 들기도 했다. 그래서 이 책을 쓰며 다른 사람들의 추억이 더욱 궁금해지고 이러한 추억들을 얼른 공유하고 싶은 욕심이 생겼다. 잊고 있던 지난 추억들을 지하철 노선도를 통해 기억할 수 있다는 흥미로운 이야기를 하는 이 책이 독자들에게 어떻게 다가갈지 궁금하고, 이 책을 읽고 떠올리게 될 독자들의 이야기가 궁금하다.

초보 작가가 쓴 서툰 글들이었지만, 이 책이 독자들의 잊고 있던 추억을 오랜만에 떠올려볼 수 있는 계기가 되고, 추억을 더욱 쉽게 기억할 수 있는 하나의 흥미로운 방법을 제시했다면, 이번 책은 성공적이었다고 생각하며 만족할 수 있을 것 같다.

마지막으로, 이 책을 읽어준 독자들에게 물어보고 싶다.

"지하철 노선도에 숨어있는 여러분의 추억 지도는 어떠한 모양인가요?"

당신의 지하철은 어떠신가요?

김지수

"지금 한강을 지나가고 있으니, 핸드폰은 잠시 내려 두고 지하철 창밖을 봐주세요. 여러분의 근심과 걱정은 지하철에 놓고 내려 주시기 바랍니다. 오늘 하루 고생하셨습니다. 행복한 저녁 되세요."

학교 수업을 마치고 집에 가기 위해 탄 4호선에서 들었던 멘트이다. 사람들이 지하철을 타는 이유는 다양하다. 회사에 출근, 퇴근하기 위해 탈 수도 있고, 친구와 약속이 있어 갈 수도 있다. 의식하지 않고 보면 모르지만 지하철은 우리 삶에 깊이 뿌리내려 있다. 약속을 잡을 때는 역의 몇 번 출구로 정하고, 역세권이면 집값이 더 비쌀 정도로 없어서는 안 될 중요한 존재로 자리 잡았다. 이처럼 일상에서 함께하는 지하철에 관련된 이야기는 수도 없이 많다. 이 책에서 쓰인 이야기들은 수많은 이야기 들 중 극히 일부일 뿐 개인이 가지고 있는 지하철에 관련된 이야기는 수도 없이 많을 것이다.

우리가 이 책에 쓴 이야기들은 우리가 즐거웠던 일, 슬펐던 일, 걱정했던 일 등 일상 속에서 지하철과 함께 겪은 일들을 풀어냈다. 좋은 추억으로 남은 일들도 있겠지만 더 이상은 기억하고 싶지 않은 기억들도 있을 것이다. 그래서 나는 해 질 녘 동작대교 4호선 기관사님의 멘트처럼, 기억하고 싶은 추억은 고이 간직하고, 기억하고 싶지 않은 추억은 이 책을 끝으로 보내주고자 한다. 또한 우리의 지하철 여행을 독자 여러분도 함께 하면서 당신들의 지하철에 대한 추억을 되돌아보는 시간을 가졌으면 한다. 좋은 기억이면 예쁘게 포장하고, 나쁜 기억이면 버리고 가도 된다. 우리의 지하철 여행은 아직은 끝이 아니기에, 여러 번 들려 추억을 곱씹는 과정을 반복해도 좋다. 당신의 여행에 도움이 된다면 우리는, 언제든지 환영이다.

'프로젝트'라는 단어가 그리 낯설지 않은 요즘. 여럿이 모여 몇 권의 '책'을 만들기로 했다. 일상 곳곳에서 맞닥뜨리는 지극히 익숙한 대상이지만, 줄곧 읽을 생각만 했지 정작 이를 만드는 일까지는 상상해 보지 못했던 터였다.

'가천'에서 '인문'으로 만난 이들. 처음부터 끝까지 기획, 집필, 편집, 디자인 모두 이들 손에 이루어졌다. 매년 이맘때면 이런 결과물이 앞자리 번호를 달고 하나둘 쌓이리라 기대한다. 시간을 거스르며 결국은 그 숫자들이 우리를 이어 줄 것이다.

짧지만 강렬했던 한 달이 지난 지금, 어느새 모두 책 한 권의 저자가 되었다. 첫 출판의 도전을 마치자마자 우리는 또 각자 새로운 이야기를 꿈꾼다. 그 출발을 함께할 수 있어 기쁘고 벅차다.

2020년 12월
'가천 인문 책 프로젝트'를 시작하며,
가천대학교 인문대학

- 홍채린, 김수민, 이예원, 김연재, 김현수, 방극현, 이유선, 임영재, 이다원,

　배효정, 정유나, 안소연, 오현택, 김민주, 권라혜, 장상구, 최민수, 김해진,

　신정민, 최수인, 장미리, 조성은, 배지은, 임형준, 정슬아, 정지윤, 송인동,

　최대원, 김유화, 이상현, 이상훈, 권사랑, 이은지, 임정식, 이만식

19 REALTY for REAL (진짜들을 위한 부동산) [가천대 영어교재 시리즈-01]

- 방극현, 최대원, 송인동, 임형준

20 팝송 가사 실전에 써먹기(Popping expressions in Pop songs)

　　[가천대 영어교재 시리즈-02]

- 배효정, 권라혜, 신정민, 이다원, 임영재, 최수인, 정슬아

21 Dumbo 와 함께 말해요 [가천대 영어교재 시리즈-03]

- 김민주, 권라혜, 안소연, 정유나

22 동화로 시작하는 영어공부 [가천대 영어교재 시리즈-04]

- 장미리, 권사랑, 배효정, 신정민, 이다원, 이유선, 조성은, 홍채린

노선 밖의 이야기

발 행 | 2024년 1월 13일

저 자 | 김지수, 박소연, 이효진, 지은결, 천지영

펴낸이 | 한건희

펴낸곳 | 주식회사 부크크

출판사등록 | 2014.07.15(제2014-16호)

주 소 | 서울특별시 금천구 가산디지털1로 119 SK트윈타워 A동 305호

전 화 | 1670-8316

이메일 | info@bookk.co.kr

ISBN | 979-11-410-6602-4

www.bookk.co.kr